KB183960

긴병에도 효자있다

도서출판 더클

긴병에도 효자있다

초판 1쇄 인쇄 2016년 6월 28일 / 초판 3쇄 발행 2016년 8월 15일
지은이 박진상, 김정연
발행인 유준원
고문 강원국
편집 박주연, 장선아
디자인 이완수
발행처 도서출판 더클
공급처 명문사
출판신고 제2014-000053호
주소 서울시 금천구 디지털로9길 65 백상스타타워 1차 511호
전화 (02) 6213-3222
팩스 (02) 6111-3919
전자우편 thecleceo@naver.com
홈페이지 www.theclebooks.com

ISBN 979-11-86920-08-4 (03320)
이 도서의 국립중앙도서관 출판예정도서목록(CIP)은 서지정보유통지원시스템 홈페이지(http://seoji.nl.go.kr)와 국가자료공동목록시스템(http://www.nl.go.kr/kolisnet)에서 이용하실 수 있습니다. (CIP제어번호 : 2016013554)

도서출판 더클은 독자 여러분의 책에 관한 아이디어와 원고 투고를 기다리고 있습니다.
출간을 원하시는 분은 thecleceo@naver.com로 개요와 취지, 연락처 등을 보내주세요.

긴 병에도 효자 있다

도서출판 더클

프롤로그

긴병에도 효자있다

긴병에도 효자가 있을까?

나는 '그렇다'고 자신 있게 말할 수 있다. 직접 보고 겪은 일들이 있기 때문이다. 긴병에 효자 있다는 말이 현실과 동떨어진 말이라고 생각하는 사람도 있을 것이다. 이 또한 직접 보고 겪은 일들을 되짚어 보면 쉽게 고개가 끄덕여진다.

하지만 조금 다르게 생각해보자. 어떤 사람이 효자라고 생각하는가? 부모님을 모시고 살고, 용돈을 충분히 드리거나 자주 찾아뵙는 자식들이 효자일까? 이 말도 사실이다. 하지만 2016년 판 효자는 조금 다르다. 우리가 보통 생각하는 효자를 상상하지 않아도 된다.

아직도 부모님을 병원에 보내는 걸 내켜 하지 않고, 도리가 아니라고 생각하는 사람들이 많은 세상이다. 하지만 이제 부모님을 모시고 사는 것이 반드시 해야만 하는 일도 아니고, 함께 살아야만 효자 소리를 들을 수 있는 것도 아니다. 세상이 바뀌었고 삶과 생각의 폭도 점차 달라지고 있다.

부모님을 요양병원에 모신 자식의 말을 들어보면 스스로 효자라고 생각하는 경우는 거의 없다. 부모님의 편안한 생활을 위해 시설이 좋은 병원을 찾고, 병원비를 지불하기 위해 열심히 일하고 있는 중인데도 말이다. 어르신들도 마찬가지다. 요양병원에서 지내보시는 게 어떻겠냐는 제안을 받고 나서 선뜻 그러겠다고 하는 경우를 많이 보지 못했다. 집보다 편한 곳이 어디 있겠냐는 생각에서다.

하지만 좋은 시설을 갖춘 병원에 모시는 것이라면 이야기가 달라진다. 효사랑병원은 어르신들은 물론 보호자들까지 위하는 병원이다. 병원이 곧 어르신들의 생활 공간이라는 사실을 인식하고, 편하게 지낼 수 있도록 병실을 갖추었다. 또한 치료에 전념할 수 있도록 시스템을 정비하고, 더 나은 서비스를 위해 고민하고 있다.

보호자들은 부모님이 보다 좋은 곳에서 생활하며 건강을 살필 수 있도록 결정한 것만으로도 효자의 역할을 충분히 한 것이다.

지금으로부터 10년 전, 병환 중인 친할아버지를 모시면서 나는 기존 병원의 한계를 느꼈었다. 그리고 환자와 가족이 편하게 이용할 수 있는 요양병원을 만들리라 다짐했다. 내 경험으로부터 나온 결심을 실천하기 위해 새롭고 혁신적인 방법으로 운영해왔고 그 노력으로 지금의 효사랑병원을 이뤄낼 수 있게 되었다.

나는 매일 효자들을 보고 있고, 그 효자들과 함께 일하고 있다. 부모님이 효사랑병원을 이용할 수 있게 돕는 자식도 효자이고, 매일 어르신들과 마주치며 진심 어린 마음으로 보살피는 직원들도 효자이다.

요양병원을 이용하는 어르신들이 점점 늘어나는 중이고 더욱 늘어날 거라는 전망이 나오고 있다. 조금 더 탄탄한 경영과 시스템이 필요한 시점이다. 이를 대비해서 효사랑병원을 발전시키기 위해 많은 정성과 시간을 투자하는 중이다. 시간이 지날수록 '긴병에 효자 있다'는 말에 고개를 끄덕이는 사람들이 많아질 것이다.

어르신들을 위한 요양병원을 개설하기로 마음먹은 이후로 10년의 시간이 흘렀다. 한 건물에서부터 시작되어 효사랑전주요양병원, 효사랑가족요양병원, 가족사랑요양병원이 생겨났고 '최초'와 '최대'라는 수식어가 붙으면서 1,500병상에 이르렀다.

좋은 병원이라는 건 이를 알아보는 누군가가 이용해주어야만 그 빛을 발할 수 있다. 우리는 여전히 어르신들의 '한 시절'이 보다 편안해질 수 있도록 고민을 멈추지 않고 있다. 이러한 내 고민이 어르신들에게 '효자'로 남을 수 있다고 믿는다.

엇나가지 않고 쉴 새 없이 달려온 이 길은 결코 쉬운 여정이 아니었다. 그리고 지금 이 자리에서 걸어온 길을 한번 되돌아보고자 한다. 이제껏 쌓아온 노력을 들여다봐야 할 때도 필요하기 때문이다. 그래야만 앞으로 미래에 대한 생각이 더 발전할 수 있으리라 생각한다.

성심성의껏 효심을 다해도 부족하게 느껴지고 부모님의 은혜를 갚을 수 없다고 생각하는 가족들, 그리고 힘을 내서 쾌차하길 바라는 환자들에게, 또 언제나 내게 긍정적인 생각을 주고 적극 도와주는 나의 아내와 모범 요양병원으로 선정될 수 있도록 노력해준 나의 여섯 형제들, 그리고 효사랑병원에서 근무하는 모든 직원들에게 이 책을 바치고 싶다.

이 책에는 환자들을 위해 갖춰야 할 자세와 요양병원 운영, 시설관리 등에 대한 내용도 쉽게 풀어 놓았다. 동시에 우리가 만났던 많은 사람들, 그들에 대한 이야기도 담겨있다. 이 책을 통해 건강과 요양의 숭고한 가치를 되새길 수 있기를 바라고 또 바라본다.

목차

Part 1 _ 가족을 위해 시작한 요양병원의 꿈

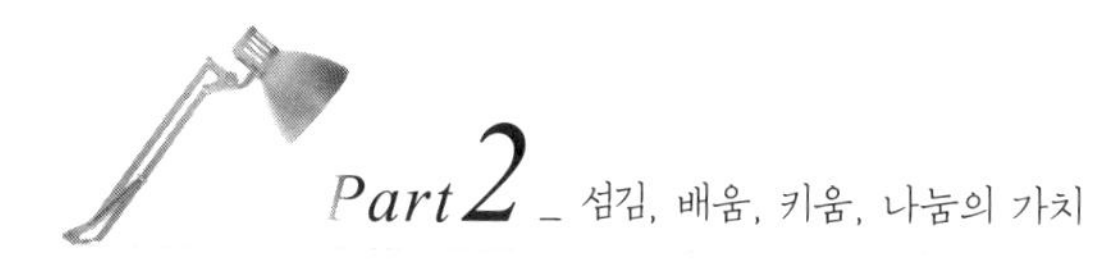
Part 2 _ 섬김, 배움, 키움, 나눔의 가치

Part 3 _ 밸런스 경영

Part 4 _ 행동하는 서비스

Part 5 _ 가족이 안심하는 병원

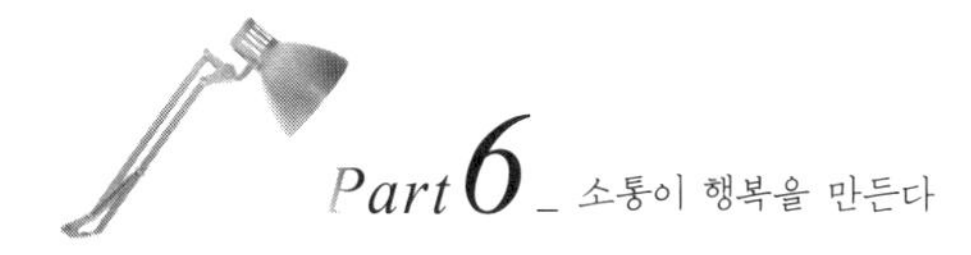

Part 6 _ 소통이 행복을 만든다

Part 7 _ 굽은 소나무가 뫼자리 지킨다

part 1 가족을 위해 시작한 요양병원의 꿈

part 1

가족을 위해 시작한 요양병원의 꿈

절실함이 이루어낸 꿈

_ 장터로 끌려가던 개가 바꿔놓은 운명

"공부하는 게 어렵지 않니? 용돈은 부족하지 않고? 뒷바라지를 충분히 해주지 못해 미안하구나."

한의대 재학 시절, 오랜만에 집에 내려갔을 때였다. 걱정하시는 어머니께 괜찮다고 말씀드렸지만, 어머니는 마음이 편치 않으셨나보다.

새벽녘에 개 짖는 소리가 들렸다. 밖으로 나가 보니 어머니께서 개를 끌고 나갈 채비를 하고 계셨다. 우리가 자식처럼 아끼던 개는 뒷다리에 힘을 주고 움직이지 않으려 했다. 어머니는 목줄을 잡아당기면서 발길을 재촉했다. 어머니가 개를 팔러 가신다는 걸 깨달은 순간 나는 온몸이 얼어붙은 듯 꼼짝할 수 없었다.

"어머니, 어떻게 된 건가요? 이렇게까지……."

차마 말을 끝까지 잇지 못하고 멍하니 어머니를 바라보았다. 가족처럼 지내던 개를 내다 팔아야 할 만큼 형편이 어려운 건가. 지금껏 그렇게까지 힘들게 학비와 용돈을 대주신 건가. 나는 꺼내지 못한 말을 속으로 삭이느라 한동안 가만히 서 있었다.

"네가 신경 쓸 일이 아니다. 됐다, 어서 들어가."

어머니는 잠시 망설이시더니 별일 아니라는 듯 손을 휘휘 저었다. 그리고는 개를 억지로 끌고 성큼성큼 걸어가셨다. 마당에는 개가 묶여있던 자리만 고스란히 남아 있었다. 나는 제자리에 서서 어머니의 뒷모습을 오랫동안 보았다.

시골에서는 마당이나 골목길에서 늘 개들을 볼 수 있었다.

마을 사람들은 어릴 때부터 기른 개를 가족처럼 아끼고 친구처럼 여기며 지냈다. 우리집도 예외는 아니었는데 어머니는 내 용돈을 마련하기 위해 장에 나가 개를 파셨던 것이다.

전주에 돌아와서 가방을 열어 보았다. 개를 팔고 받은 돈이 봉투에 들어 있었다. 집안 사정도 모른 채 한의학을 공부한다고 자만했던 게 부끄러웠다. 가족도 챙기지 못하면서 다른 사람의 아픔을 이해하고 보살피겠다니……. 말도 안 되는 생각이었다. 당장 어머니께 부담을 드리지 않고 공부를 계속할 수 있는 길을 찾아 나섰다. 공사판 막노동도 마다하지 않고 닥치는 대로 일했다. 약을 배달하거나 짐을 나르기도 했다. 등에 짊어진 짐의 무게보다 삶의 무게가 나를 더 짓누르던 시절이었다.

그러던 어느 날, 길을 지나는데 한약방 하나가 눈에 들어왔다. '남창당 한약방'이라는 곳이었다. 나는 무턱대고 한약방 문을 두드렸다.

"안녕하세요, 저는 원광대 한의대 학생입니다. 아르바이트를 하고 싶습니다. 기회를 주시면 열심히 하겠습니다."

원장님께서는 흔쾌히 일자리를 주셨다. 알고 보니 고등학교

선배였다. 고향 후배인 나를 살갑게 대해주셨고 따뜻한 격려와 조언도 아끼지 않았다. 원장님은 유복자로 태어나서 나보다 더 어렵게 학교를 다니셨다고 했다.

"나도 중학교 때부터 고모부가 운영하는 한약방 일을 도왔지. 자네를 보면 남 같지가 않아."

원장님은 집을 떠나와 야간 중학교에 다니면서 고모부가 운영하는 한약방에서 지냈다고 했다. 당시 전주 지역에서 한약방을 차려 경제적으로도 자리를 잡았지만, 근검절약 정신은 여전히 몸에 배어 있었다. 장모님이나 어머니를 위해 전기담요를 살 때도 자기 몫은 챙기지 않았고, 침대도 나무로 틀을 만든 뒤에 매트리스를 올려놓고 사용할 정도로 알뜰하셨다.

나는 성실하고 바르게 생활하는 원장님을 보면서 많은 것을 배웠다. 그때의 만남으로 지금도 인연을 계속 이어가고 있다. 내가 한의원을 개업할 때 선뜻 계약금을 빌려주시고, 전주 중앙시장으로 한의원을 이전할 때 보증금을 내주신 분도 바로 원장님이셨다.

가족의 그늘이 되기 위해 바꾼 진로

학창 시절에는 성적이 꽤 좋은 편이었다. 중고등학교 재학 내내 상위권을 유지했고 간혹 학생회장도 맡았다. 하지만 집안 사정이 넉넉하지 못해 공부에만 열중할 수 없었다. 중학생 시절에는 모내기철마다 일손을 도와드리느라 학교에 가지 못할 때도 있었다. 명색이 학생회장인데 교복 대신 흙 묻은 운동복을 입고 지나가다가 같은 학교 학생들을 마주쳤을 땐, 창피해서 얼굴이 빨개졌다.

고등학교 입학시험 전날에는 임실 시골에서 트럭을 타고 시내까지 갔다. 시내 여관을 잡아서 하룻밤을 묵었는데 아침에 일어나 화장실에 들어갔다가 무척이나 낯선 풍경을 봤다. 나는 당시 수세식 화장실에도 놀라는 영락없는 시골 소년이었다.

"어머니, 저 대학에 가고 싶어요."

"……."

대학 진학도 쉽지 않았다. 처음 뜻을 밝혔을 때 어머니는 한숨을 내쉬었다. 나도 힘들게 꺼낸 말이었지만, 어머니의 깊어진 주름을 보니 마음이 무거웠다. 그럴수록 더 열심히 공부했다. 어릴 때는 선생님이 되고 싶기도 했고 육사생도를 꿈꾸기도 했지만, 결국 의료계에 종사하기로 마음을 정했다.

아버지께서 돌아가시고 난 후 누군가가 의료 사업을 하면서 우리 대가족을 이끌면 좋겠다는 생각을 한 적이 있었다. 가족들과 친척들 역시 같은 마음이었다. 나는 전북대 공과대학에 합격했지만 주위 의견에 따라 재수를 결심했고, 어머니는 별말씀 없이 내 선택을 응원해주셨다. 나는 대학 진학을 포기하고 고모를 따라 서울로 가 1년 남짓 동작구 노량진에서 재수 생활을 했다. 그후 원광대 한의대에 입학하게 됐다.

내가 대학을 다니던 1980년대 후반은 암울한 시대였다. 민주화 요구가 거세던 시절이었고 학생들은 정치에 관심이 많았다. 길을 지나다니며 최루탄 가스를 마실 때도 많았다. 나는 그런 상황에서도 집안을 일으켜야 한다는 부담을 떠안고 부단히 애를 썼다. 등록금을 내기가 힘들어졌을 땐 일부러 입대 날짜를 맞출 정도였다.

힘들게 보낸 대학 시절이었지만 추억도 많았다. 삶이 고달프고 시대가 험난해도 우리는 청춘이었고 교정에는 낭만과 사랑이 있었다. 나는 틈틈이 아르바이트를 하고 열심히 공부하면서도 친구들과 어울리고 사랑도 했다.

대학 시절 '두레'라는 민속문화연구회에서 사물놀이를 하고 탈춤을 추면서 활동한 적이 있다. 방학이 되면 진도나 밀양 등 전국 각지에 있는 인간문화재들을 찾아다니면서 전수받았다. 두레는 내게 있어 고단함을 잠시 내려놓고 신명과 유희를 즐길 수 있는 곳이었다. 우리가 활동하던 시절에는 악기를 살 돈도 없을 만큼 다들 가난했지만, 우리 문화를 배우고 친구들과도 끈끈한 유대를 다졌다.

졸업을 앞두고 국가고시를 준비하면서 경희대, 동국대 등 전국 11개 대학의 한의대 학생들이 모여서 고시 정보를 공유하는 졸업준비위원회에 참여했다. 졸업위원장직을 맡아서 졸업고사를 보랴 학생 대표를 맡으랴 바쁜 나날을 보냈다. 그 무렵 약사법 개정을 둘러싸고 분쟁이 일어나면서 약사, 한의사, 의사까지 나서서 연일 시위를 벌였다. 상황이 어려워지면서 결국 학년 전체가 유급까지 하게 되었다. 시대 상황에 따른 불가피한 일이었다.

“네가 얼른 성공해야지. 그래야 다른 형제들을 돌봐줄 수 있지 않겠니? 한 명이라도 성공해서 형제들이 그 그늘에서 쉴 수 있도록 말이다.”

나만 바라보는 어머니와 형제들을 위해 빨리 자리를 잡아야 한다는 부담감 때문에 졸업할 때까지 마음이 편치 않았다. 어머니께서는 어릴 적부터 공부를 제일 열심히 하는 나에 대한 기대가 컸다. 어머니의 관심이 나에게 많이 몰려 다른 형제들에게 미안했지만, 그럴 때마다 더더욱 가족을 책임지겠다는 마음을 잊지 않았다. 그리고 다행히 가족들과 나의 바람은 현실로 이루어졌다.

전주 한복판에서 한의원을 시작하다

대학을 졸업하고 나서 한의원을 개원하기로 결심했다. 1995년, 전주 인후동 거리 재개발 구역에 23평 규모의 한의원을 열었다. 주변 주공아파트 주민을 단골로 삼으면 되겠다 싶어서 간호사 두 명과 함께 시작한 일이었다.

개원하던 날, 고사를 지내기 위해 어머니가 전주로 올라오셨다. 상 앞에 선 어머니의 표정이 사뭇 진지했다. 나는 어머니의 얼굴을 보면서 미래를 더 단단하게 만들겠다고 다짐했다.

고사를 끝냈을 때였다. 어머니께서 흰 봉투를 하나 내미셨다.

“얼마 안 되지만 받아 두어라.”

“어머니가 무슨 돈이 있으셔요. 넣어 두세요.”

“아니다. 일전에 길쌈해서 내다 팔고 받은 돈이 좀 남았어. 아버지가 살아 계셨으면 좀 더 많은 보탬이 됐으련만…….”

어머니께서는 끝내 내 손에 봉투를 쥐어주셨다. 정성을 거절할 수가 없어서 떨리는 손으로 받아들었다. 봉투 안에는 어머니가 힘들게 번 170만 원이 들어 있었다. 나는 그저 열심히 하겠다는 말만 반복할 수밖에 없었다. 가슴 한편이 뜨거워졌다.

1998년에 IMF 경제 위기가 찾아오면서 주변 상황은 나빠졌다. 약값이 상승하면서 한의원을 찾는 고객층에도 변화가 생겼다. 하지만 나는 오히려 이를 기회로 보고 한의원을 옮기기로 결심했다.

외환 위기로 인해 대출의 연이율이 오르고 있었지만, 무리해서라도 한의원을 옮겨야겠다는 생각을 굳혔다. 더 많은 사람들에게 병원을 알리기 위해서는 사업가 기질을 발휘해야 했다.

새로 개원할 장소를 찾기 위해 몇 군데 둘러보다가 구례 시외버스터미널 쪽에 자리를 잡기로 결정했다. 번화가보다 안정적이고 경쟁자가 없다는 지리적 이점 때문이었다. 그러나 계약을 앞두고, 첫째 아이를 임신한 아내가 반대했다.

"여보, 이제 아이도 낳아야 하는데 시골 터미널 쪽에 개원하는 것보다 다른 곳을 생각해보는 게 어때요."

아이를 낳고 키우려면 전주 시내 쪽으로 알아보는 게 낫다는 게 아내의 의견이었다. 방향을 바꿔 처음부터 다시 시작해야 했다. 그러던 어느 날 전화가 한 통 걸려왔다.

"전주 중앙시장에 탁구장 자리가 났으니까 한번 가봐. 일단 시장을 끼고 자리 잡으면 무조건 명당이야. 경험에서 나온 말이니 잘 새겨들어."

전화를 주신 분은 침을 놔드리기 위해 왕진을 다니면서 친해진 단골 할머니셨다. 중앙시장 쪽은 전주에서도 꽤 번화가였다. 갑작스러운 소식에 의아해하면서도 곧장 그곳으로 찾아가서 알아봤다. 그리고 아내와 나는 일사천리로 계약을 진행했다.

1998년, 전주 구도심에 있던 한의원을 당시 제일 번화가였던 중앙시장으로 이전하기로 결정했다. 하지만 문제가 있었다. 권리금을 마련하지 못한 것이었다. 빚을 낼 수도 없고 형제들에게 도움을 요청할 수도 없는 상황이었다.

"자네라면 믿고 투자하겠네. 나중에 성공해서 천천히 갚게나. 뭘 하든 자넨 꼭 성공할 거야."

그런 나에게 돈을 빌려준 분이 남창당 한약방 원장님이셨다. 원장님은 흔쾌히 돈을 빌려 주시면서, 담보와 계약서조차 요구하지 않았다. 그렇게 어려운 여건 속에서 권리금 4000만 원을 투자해 한의원을 100평으로 확장 이전했다.

어머니와 다른 형제들도 새 출발을 앞둔 나에게 용기를 불어넣어 주었다. 나는 고마운 사람들과 소중한 가족들, 내가 지켜야 할 사람들을 위해 열심히 일해야겠다고 다짐했다. 일을 할수록 은혜를 갚아야 할 분이 점점 많아졌다.

나는 새로 개원할 한의원에 투자를 아끼지 않았다. 경제 상황이 흔들린 만큼 다른 한의원들은 모두 움츠러드는 분위기였지만 과감하게 밀어붙였다. 어차피 IMF가 지나면 상황은 나아질 것이라 믿었다.

여러 가지 아이디어를 동원했다. 한의원의 첫 인상이라고 할 수 있는 인테리어는 고급스럽게 꾸미고 비만 쪽으로 특화한 전문 진료를 본격적으로 준비했다.

개원하자마자 환자들이 몰려들면서 대성황을 이루었다. 직원도 14명으로 늘어날 정도였다. 그러나 나는 여기에 안주하지 않고 또 다른 차별화 방안을 찾았다. 한의원 내부에 10평 크기의 찜질방을 마련한 것이었다. 노인 환자가 많으니까 한의원에서 침을 맞은 다음 찜질하고 가면 좋겠다는 생각에서였다. 이런 노력 때문인지 환자들 사이에서 입소문이 났다. 변방에서 이사 온 새내기 한의사가 어느새 전주 시내에서 손꼽히는 인기 한의사가 됐다.

한의원이 번창하면서 환자들이 늘어나자 한의원 내부 살림을 관리할 사무장이 필요했다. 수입이나 지출을 정리할 필요가 있었다. 고민해보니 여섯째 동생 박진만에게 맡겨보면 좋을 것 같았다. 어머니께서도 원하던 일이었다. 동생에게 연락하여 한의원 관리를 도와달라고 부탁했다.

"네가 한의원에 와서 일을 도와주면 좋겠다. 안정된 직장을 접고 내려오는 게 쉽지는 않겠지만 한번 검토해주면 고맙겠어."

나중에 내가 성공을 하면 어떤 방식으로든 형제들과 함께할 것이라고 다짐했었기에 당연한 순서였다. 동생도 내 마음을 이해하고 곁으로 와주었다. 함께 일하면서 우리는 더욱 돈독한 우애를 쌓았고 병원도 별다른 위기 없이 바로 설 수 있었다.

어느 날 나는 동생에게 외상 장부를 없애라고 지시했다. 노인 환자 대부분이 자녀들에게 받은 용돈으로 한약을 지으러

오시니, 외상으로 약을 지어가는 분들도 많았다. 외상이 있는 노인 환자들은 남은 외상값이 부담스러워서 한의원에 더 이상 찾아오지 않았다.

"외상 장부에 적힌 금액이 한두 푼도 아닌데 없애면 어떡합니까?"

동생의 말은 틀린 말이 아니었다. 외상 장부에 기록된 금액은 3000만 원에 이를 정도로 컸다.

"농부가 농사를 짓는다고 해서 그게 다 농부 것이냐? 곳간에 쌓아 놓으면 때로는 비 맞아 썩기도 하고 가끔은 거기에 사는 쥐가 먹거나, 새도 날아와 먹는다. 그러고 나서 남는 게 내 몫이야. 장사할 때는 베풀기도 해야 해. 돈에 연연하지 말자. 베풀다 보면 입을 타고 전해져서 환자들이 찾아오기 마련이야."

나는 동생의 한마디에 이렇게 대꾸해주었다. 동생은 아무 대답 없이 나를 바라보았다. 뭔가 느낀 게 있다는 표정이었다. 동생은 두 번 묻지 않고 바로 외상 장부를 없애버렸다. 동생은 지금도 종종 그때 내가 했던 말에서 큰 가르침을 받았다고 이야기한다.

한의원 앞에는 생선이나 채소를 소규모로 파는 노점이 많았다. 겨울이 되면 나는 동생을 자주 내보내서 가판에 남아 있는 물건을 모두 사오게 했다. 어르신들이 추위에 떨지 않고 얼른 들어가시도록 하기 위해서였다.

"겨울인데 아직도 계시네. 남은 생선과 채소를 다 사와서 직원들에게 나눠주자."

마늘이나 파처럼 가정에 늘 두고 쓰는 재료를 사와 직원들에게 나눠주었다. 따뜻한 마음으로 덕을 베푸는 게 내가 주변 사람들에게 할 수 있는 최선의 일이라고 생각했다.

외부적인 나눔을 꾸준히 하면서도 한의원 내부가 더 성장할 수 있는 일도 멈추지 않았다.

"한의원 침대에 누워서 3년 넘게 같은 풍경을 바라봐야 한다면 지겹지 않을까? 주기적으로 신선한 느낌을 받도록 하는 게 좋겠어. 에너지를 충전해야 기분도 나아지고 새로운 한의원에 온 것처럼 느끼게 되지. 항상 분위기가 똑같다면 환자들이 질리고 말거다."

나는 한의원 내부를 3년에 한 번씩 리모델링했다. 주변에서는 굳이 실내 인테리어에 많은 돈을 들일 필요가 있느냐고 했지만 결국에는 내 뜻을 이해했다. 어느 곳이든 오랫동안 똑같다면 낡은 분위기를 연상시키니 말이다.

친동생이 한의원 살림을 맡고 있다 보니 지출이나 투자에 민감할 때도 있었다. 하지만 따뜻하고 편안한 한의원을 만들어야 한다는 마음은 나와 동생 모두 같았기에 갈등은 오래가지 않았다.

가족을 위해 시작한 요양병원의 꿈

요양병원을 설립하기로 마음먹은 것은 어머니께서 할아버지를 간호하는 걸 지켜보면서부터였다. 어머니는 열여덟 살에 시집와서 마흔여섯에 남편을 여의고 성격이 까다로운 시아버지의 수발을 들면서 살아오셨다. 내가 한의원을 운영하던 무렵 할아버지는 건강이 악화되어 인근에 있는 고려병원에 입원하셨다.

"다른 병원으로 가보시는 게 좋겠습니다."

5주 정도 치료를 받았을 때 병원을 옮기라는 권유를 받았다. 병원 측에서는 장기입원으로 인해 높은 의료 수익이 발생하지 않는 노인 환자들을 달갑게 여기지 않았다. 의료보험 시스템상 병원에 이익을 주기보다는 침대만 차지한다는 이유였다.

아내가 근무하는 우석대 한방병원으로 모셨지만 상황은 마찬가지였다. 우리는 또 한 번 같은 상황을 마주해야 했다. 이번에도 5주가 되자 병원 측에서는 퇴원을 종용했다. 아무리 의료보험에 맹점이 있다고 해도 퇴원을 권유하는 일은 옳지 않다는 생각이 들었다. 억울했지만 어쩔 수 없었다. 그 뒤로 할아버지를 시골로 모셨지만 상태가 악화되었고, 할아버지는 아흔셋을 일기로 돌아가셨다. 삼우제를 지내고 난 뒤 나는 큰 결심을 하고 어머니께 말씀드렸다.

"어머니, 요양병원을 짓고 싶어요. 이제 어머니도 연로하신데 늘 저희가 곁에서 모실 수도 없고……. 이번 일로 고민하다가 마음을 정했습니다."

"지금 한의원도 잘 되고 있는데 무리할 필요가 있겠니? 게다가 너희 일곱 명에 며느리까지 있는데 내 걱정은 할 필요 없다."

"다른 환자들도 우리와 같은 부당한 일을 겪게 하고 싶지 않아요. 노인 환자들이 편히 쉴 수 있는 공간을 만들고 싶어요. 아내랑 협심해서 열심히 하면 충분히 해낼 수 있어요."

어머니도 우리가 늘 당신 옆에 있을 수는 없다는 걸 잘 아셨기에 결국 내 뜻을 받아들이셨다. 나는 노인들이 편하게 병원에서 치료받을 수 있는 시스템을 마련하겠다는 마음으로 야심차게 도전했다. 당시 내 나이가 마흔이었으니 욕심을 내 볼만한 시기라고 여겼다.

'언젠가는 저 건물을 사고 말 거야.'

중앙시장에서 한의원을 운영하던 시절에 항상 눈여겨보던 건물이 있었다. 한의원에서 창문을 열면 보이는 건너편 건물이었다. 7년 동안 매일 대여섯 번씩 보면서 주변 사람들에게도 나중에 저 건물을 살 거라고 말해왔다.

할아버지 문제로 힘들 때, 나는 건너편 건물을 보면서 요양병원을 구상했다. 그리고 결심이 설 즈음 건물주가 내게 건물을 팔겠다고 제의했다. 지인에게서 내가 병원 자리를 찾는다는 이야기를 듣고 먼저 연락해 온 것이었다.

"원래 전주에 학원을 지으려고 했는데 다른 사업을 하게 됐어요. 마침 원장님도 병원 자리를 알아보신다고 하니 나쁜 제안은 아닐 겁니다."

건물주는 업종을 전환하면서 건물을 처분하기로 마음먹고 나를 찾아왔다. 나처럼 건물에 세 들어서 한의원을 운영하는 사람에게 아무런 인연 없이 제법 큰 건물을 판다는 건 신기한 일이었다.

하지만 이미 9개 업종이 망해서 나간 자리였다. 그곳에 있던 예식장과 학원이 모두 문을 닫은 상태다 보니 건물 터가 너무 세서 어떤 사업을 해도 망한다는 소문마저 돌았다. 신경 쓰이지 않을 수 없었다.

가족들은 걱정하면서도 한번 해보라고 격려했다. 나는 제안을 받은 지 3일 만에 건물매매 계약을 했다. 건물주는 계약금만 받고 건물을 내주었다. 간절히 원하면 주파수가 맞아떨어지고 운명처럼 이루어진다고 했던가. 시작부터 큰 기회가 왔다. 진정으로 원할 때 이렇게 도와주는 사람이 나타났다는 게 정말 고마웠다.

"요양병원이 시끄럽고 부산한 시내 중심에 있는데 노인들이 찾아올까요?"

시내에 병원을 차리겠다고 하자 주변 한의사들은 모두 걱정을 해주었다. 요즘은 시내에도 요양병원이 있지만, 당시에는 변두리에만 있었다. 하지만 나는 오히려 보호자와 만나는 접점이 많은 시내가 좋다고 판단했다. 내가 계약한 건물은 보호자들이 출퇴근 시간에 들르기가 수월하기 때문에 더욱 마음에 들었다.

주변의 우려와 달리 요양병원은 환자들에게 인기를 끌었다. 접근성이 좋았기에 한 층이 금방 환자들로 채워졌다. 개원한 지 6개월에 접어들자 병동마다 환자들이 가득 찼다. 병원이 급성장하면서 1년 만에 효사랑가족요양병원을 짓고 다시 1년 만에 가족사랑요양병원을 지었다. 병원을 새롭게 지어도 금세 환자들이 몰려서 시설이 부족할 정도였다. 우리 병원이 잘 되자 주변 사람들의 시선도 바뀌었다.

우리는 양방 시스템에다가 노인들이 선호하는 한방 시스템까지 적용해 시너지 효과를 냈다. 가족을 더 편하게 돌보겠다는 마음, 부모를 안심하고 맡기고 싶다는 마음이 지금의 효사랑메디컬그룹을 만든 셈이다. 단순히 성공을 하거나 돈을 벌겠다고 욕심을 내기보다 주위 사람들을 생각하고 함께하겠다는 마음을 가진 것이 통한 게 아닐까 싶다.

난관을 넘어서 자리를 잡기까지

"죄송합니다. 자금을 착복할 생각은 아니었는데……. 너무 힘들어서 어쩔 도리가 없었어요."

"빚은 제가 갚아 드리겠습니다. 작업만 끝까지 마무리해 주세요."

첫 번째 요양병원을 준비할 때 난관이 많았다. 이미 대금을 지급받은 인테리어 업자가 사업이 어려워지자 자취를 감춰 버린 것이다. 함께 작업한 근로자들이 보수를 받지 못하는 사태까지 벌어졌다.

나는 서둘러 그의 행적을 수소문했다. 어렵게 그를 만났고 그가 나에게 사기를 치려던 게 아니라 사업이 힘들어서 그랬다는 말을 믿어 주기로 했다. 그 또한 나를 돕겠다고 온 사람이었다. 그를 사기꾼이라고 비난하는 대신 온정을 베풀기로 한 것이다.

"원장님, 그때는 정말 감사했습니다. 지금도 잊을 수가 없어요."

그는 현재 군산에서 사업을 하는데 여전히 연락을 주고받고 있다. 한 번씩 만날 때마다 나에게 연신 고마움을 전한다. 작은 빚이었지만, 대신 갚아줌으로써 바닥에 넘어진 한 사람을 다시 일으켜 주었다는 생각에 아직도 뿌듯하다. 물론 당시의

나도 넉넉한 형편은 아니었다. 그러나 돈이야 또 벌면 되는 게 아닌가 싶은 마음에 그런 결정을 할 수 있었다.

지금은 이렇게 이야기할 수 있지만, 나는 그 외에도 여러 가지 일에 꽤 많은 신경을 쏟아야 했고 시행착오는 계속되었다.

첫 병원을 준공할 때만 해도 건축 관련 업체가 병원 리모델링을 한 경험이 없었다. 요양병원 자체가 별로 없던 시절이라서 컨설팅까지 받았지만, 업체에서 다양한 상황을 제대로 파악하지 못한 탓에 고전을 면치 못했다.

복잡한 일이 계속 생기면서 개원 일정이 3개월이나 지연됐다. 2006년 3월에 개원할 예정이었는데 낡은 건물을 리모델링해야 하는 데다 병원 용도는 허가 요건이 까다롭다 보니 준비하는 데 오랜 시간이 걸릴 수밖에 없었다. 기존 건물 설계 도면에서도 실수가 잇따르고 기관에서는 시설과 설비를 보완하라는 요청이 끊이지 않았다. 1월에는 준공 허가가 나야 의료기관을 개설할 수 있는데 계속 미뤄지니 애가 탔다.

개원 전에 직원들을 교육하고 다른 병원들도 탐방하면서 세심히 준비했는데, 자꾸 미뤄지니 이만저만 힘든 게 아니었다. 계획이 바뀌면서 손실이 커지고 적자가 누적되면서 피 말리는 시간이 계속되었다.

"드디어 개원하는 날이 오긴 했네요. 3개월이 너무 길었어요.

준공검사필증을 보니 실감이 납니다."

준공검사필증을 받던 날 얼마나 감격스러웠는지 모른다. 병원장을 맡은 아내는 눈물을 참지 못했다. 물심양면으로 나를 도우면서 개원을 준비하고 매일 새벽에 나와서 밤늦게 집에 들어가기를 반복했던 아내였다. 함께 가재도구를 구비하는 것부터 직원을 모집하는 일까지 일일이 신경 쓰면서 고생한 기억에 나도 눈시울이 뜨거워졌다.

초창기에는 직원이 열세 명 정도 있었다. 직원 식당이 없어서 밖에서 식사를 해결하면서 개원을 준비했다. 전 직원이 DM을 발송하면서 병원 홍보에 힘썼다. 우리는 규모를 늘린 만큼 직원이 더 필요했다. 요양병원 개원을 앞두고 구인 광고를 냈지만 직원을 찾는 건 힘들었다.

"간호사 한 명당 돌봐야 할 환자가 너무 많아요. 이대로는 계속 근무하기 힘들어요."

개원 후에도 인력난은 계속되었다. 개원 2주 만에 43명의 환자가 들어와서 병동 한 층이 꽉 찼다. 환자는 많은데 인력이 부족하다 보니 간호사들의 스트레스가 극에 달했다. 간호과장이 근무하기 힘들다고 당분간 환자를 받지 말자고 말할 정도였다. 하지만 그럴 수는 없었다. 초기 투자비용이 많이 들어간 것도 문제였지만, 앞으로의 성장도 염두에 두지 않을 수 없었기 때문이다.

간호과장은 결국 개원 3주 만에 사표를 냈다. 간호과장이 다른 간호사들을 데리고 왔던 터라 타격이 컸다. 주변 사람들을 수소문해서 겨우 인력을 충원했지만, 병원이 정상화되기까지 간호과장은 계속 바뀌었다. 6개월 사이에 서너 명이 교체되는 내홍을 겪었다. 아는 사람들을 동원해 구인했지만, 개원 초창기의 일이 힘들어서인지 버텨내지 못했다. 그렇게 어려운 상황에서도 떠나지 않고 남아 준 직원들에게는 지금도 정말 고맙다.

일단 병원을 빨리 안정시켜야겠다는 생각이 절실했다. 낮에는 환자를 진료하며 2병원을 준비하고 밤에는 직접 야간 당직을 서며 바쁘게 지냈다. 혼자 1인 4역을 하느라 새벽이 되어서야 집에 들어갈 수 있었다. 처음엔 당직실도 없어서 외래 진료실 침대에서 잠들기도 했다. 그러는 동안에도 다른 요양병원을 둘러보고 벤치마킹하기 위해 전국을 누볐다. 매 순간이 치열했지만 직원들이 함께해줘서 견딜 수 있었다.

처음 1병원을 개원하고 160병상을 운영할 때는 식당 환경이 열악했다. 7층에 있는 직원 식당이 비좁아서 늘 줄을 서고 기다려야 했다. 식탁도 몇 개 되지 않아서 직원들이 한꺼번에 식사 할 수 없었고, 식당 의자도 저렴한 것으로 산 탓에 편하지 않았다. 그렇게 찢어진 의자에도 앉지 못할 정도로 비좁은 곳에 늘어선 직원들을 보면 마음이 쓰였다.

식탁이 부족해서 다른 부서의 직원들과 섞여서 밥을 먹기도 했지만, 이런 환경이 오히려 전화위복이 되었다고 생각한다. 식사 때면 한 부서만의 모임이 아닌, 가족 같은 분위기가 형성되었다.

겨울에는 춥고 여름에는 비가 들이닥쳤지만 늘 훈훈함이 감돌았다. 심지어 겨울에는 국이 빨리 식었을 뿐만 아니라 낮은 온도에 입김으로 손을 불어가며 식사를 할 정도였다. 그러나 직원들 사이에는 따뜻한 정이 흘렀다.

"이제 더 넓은 곳에 좋은 의자를 마련할 수 있게 됐네요."

이후 지하에 더 크고 깔끔한 식당을 마련하게 되었다. 증축하면서 식당을 다시 짓던 날, 아내가 활짝 웃으면서 기뻐했고, 직원들도 함께 박수를 쳤다. 고생해준 직원들을 위해 시설뿐만 아니라 식재료도 좋은 것만 골라 쓰고, 김제평야에서 농사지은 제일 좋은 쌀을 사용하기로 약속할 정도였다.

7년 만에 160병상에서 1,500병상으로

"병상도 부족한데 하나 더 만들면 좋죠. 환자들이 다들 좋아하고 있어요."

1병원을 운영하면서 새롭게 2병원을 준비하기로 했을 때도 직원들은 흔쾌히 동의해주었다. 3병원을 짓거나 증축할 때도 마찬가지였다. 우리 모두 의욕적으로 일했다. 병원을 확장할 때도 망설이지 않고 곧바로 진행했다. 환자들은 물론이고, 직원들의 사기도 높았다.

효사랑메디컬그룹이 '우리 모두의 힘'으로 이루어졌다고 자신있게 말할 수 있는 이유이다. 내가 시작했지만 전 직원이 조직의 성장을 위해 협조해줬기에 좋은 결과가 나올 수 있었다. 나는 늘 사람이 자산이라는 생각으로 조금이라도 베풀기 위해 노력했다. 그들이 지금의 나를 있게 해주었다는 걸 의심해 본 적이 없다.

요양병원을 처음 개원한 후 정확히 7년 만에 효사랑전주요양병원(1병원) 420병상, 효사랑가족요양병원(2병원) 650병상,

가족사랑요양병원(3병원) 360병상, 메디플러스요양원 47병상으로 성장했다. 병원별 콘셉트는 양·한방 협진의 재활전문 요양병원이며, 병원별 차별화 전략은 인공신장실 운영 및 전문재활 치료센터(척추관절, 중추신경, 통증치료)와 자연 친화적 환경이다.

다양한 차별화 전략 덕분에 1병원이 개원한 뒤 6개월 만에 160병상이 가득 찼다. 예약 환자가 대기해 있는데도 기존 환자들이 퇴원하지 않으려고 하는 바람에 새로운 환자를 받지 못하는 상황도 있었다. 결국 급하게 효자동에 320병상 규모로 2병원을 짓게 되었다.

2007년에 개원한 2병원의 콘셉트는 220평의 넓고 쾌적한 재활치료실을 보유한 재활전문 요양병원이다. 6개월이 지나자 2병원의 320병상이 또다시 가득 찼다. 새로운 환자를 받지 못하는 상황인데도 하루 10~15명씩 계속 문의가 들어왔다. 나는 곧장 3병원 개원에 착수했고, 부도가 나서 3년 묵힌 김제의 준종합병원 자리를 공매로 구입해서 이듬해 3월에 문을 열었다.

당시 김제시에는 요양병원이 없었다. 10만 인구가 사는 도시인데도 불구하고 100병상 정도의 일반 병원 두 곳만 있을 뿐이었다. 그래서 3병원의 콘셉트는 김제시 최초의 요양병원이었다. 김제 가족사랑요양병원은 360병상 규모로, 젊고 역량 있는 인근 의사들을 채용하여 지역의 거점 병원 역할을 하게 되었다.

또한, 개원 전부터 마케팅에도 신경을 썼다. 우선의 목표는 지역사회와 유기적으로 소통하는 것이었다. 팀을 꾸려 560개나 되는 김제시 관내 경로당을 주마다 세 군데씩 찾아다니면서 의료 봉사활동을 이어나갔다. 약통을 준비해서 소화제, 설사약, 두통약 등 일반의약품을 비치한 후에는 직접 침을 놓아 드렸다.

2007년에 개원한 이후로 지금까지도 면 단위에 매주 의료봉사를 다니고 있는 중이다. 이런 노력을 지역사회에서도 인정해줘서, 이제는 3병원에서 체육대회를 열면 시장님이 축사를 하러 오실 정도이다.

개성을 살린 1, 2, 3병원 콘셉트

1병원의 주요 콘셉트는 양·한방 협진 시스템이다. 기본적인 치료는 한방으로 이루어져 있으며, 중풍이나 노인 질환 환자들에게 매일 침을 놓고 뜸을 뜨며 한약을 지어 드렸다. 당시 한의사가 주도하는 요양병원은 우리가 처음이었다. 만약 양방의가 요양병원을 세웠다면 한방 치료는 하지 않았겠지만, 우리는 혈압 치료에는 주로 양약을 처방하면서 한약도 복용할 수 있도록 했다.

이 같은 1인 2주치의 제도는 한약을 보약이라 여기는 어르신들의 정서와 맞아 떨어졌다. 한약을 활용하다 보니 환자들이 우리 병원에서 마음 편하게 지낼 수 있었고 병원 이미지도 좋아졌다.

2병원은 전주의 신시가지라 할 수 있는 신도시 주변 효자동에 위치해 있다. 현재는 세 군데로 나누어져 있는 재활센터가 개원 당시에는 통합되어 있었다. 시설이나 장비면에서 우리 병원이 지역 내 재활전문 요양병원의 효시 역할을 했다고 할 수 있다.

"2층 전체를 재활센터로 쓰다니 정말 대단하네요. 요양병원 중에서 이렇게까지 시설을 갖춘 곳은 없을 겁니다. 대학병원보다 규모가 더 큰 것 같고…… 여기 오길 참 잘한 것 같아요."

기존의 요양병원들보다 훨씬 더 좋은 시설을 자랑했기 때문에 환자들의 좋은 반응은 당연했다.

"일부 요양병원들은 환자를 눕혀 놓은 상태에서 세끼 밥을 주는 것 같아요. 사람은 원래 움직여야 하지 않겠어요? 그런데 절대 안정을 취해야 한다 말하며, 침대에 눕힌 채 인공적으로 영양만 공급하는 방식이 대부분이에요. 그건 바람직하지 않아요. 3주만 지나도 부동증후군에 걸릴 수가 있거든요."

우리 병원이 먼저 재활센터를 갖춘 이후에 전주 지역의 대형 병원인 예수병원과 전북대병원에서도 재활센터를 늘렸다. 우리는 중풍을 잘 치료하는 병원으로 발전하기 위해 재활치료를 할 때마다 환자 한 분, 한 분을 일일이 챙겨 드리고 값비싼 워킹레일을 구입하는 등 지원을 아끼지 않았다.

재활에서 가장 중요한 것은 자율적인 동기다. 아무리 좋은 치료사가 있어도 환자 본인이 스스로 의욕을 보이지 않으면 재활 효과가 낮을 수밖에 없다. 우리 병원에서는 단순하게 치료만 하는 게 아니라 환자에게 재활 동기를 부여하기 위해 애를 썼다.

나는 환자는 물론, 가족들에게도 지속적으로 말했다. 재활치료를 받는 환자 본인의 마음가짐이 중요하다고 말이다. 사실 환자가 병실에서 정적인 생활만 한다면, 움직임으로써 벌어지는 각종 위험은 줄어들 수 있다. 자연스럽게 병원 측에서도 관리하는 게 편해진다. 그러나 우리는 위험을 감수했다. 그게 병원의 목표라고 생각했다. 우리는 치료를 오전과 오후로 나누어 꾸준히 할 수 있게 해 드렸다.

그 과정에서 가끔 문제점도 발생했다. 여자 간호사들이 남자 어르신들을 무리하게 옮기다 보니 산재가 발생한 것이다. 우리는 이런 일이 다시 발생하지 않도록 남자 간호조무사를 고용해서 환자 이동을 돕게 했다.

김제시에 있는 3병원은 자연 친화적인 병원이다. 3병원이 위치한 하동은 김제시 초입이고, 익산역과는 10분 거리다. 김제시에는 노인 인구가 많아서 같은 하동 내에 전국 최초로 설립된 김제실버타운이 위치하고 있다. 주변에는 공동주택, 노인요양원, 임대아파트, 노인 체육시설, 문화시설, 노인 대학, 노인 복지관 등이 있다.

3병원은 무려 세 번이나 망한 건물을 매입해서 리모델링했다. 망하는 데는 이유가 있기 마련인데, 이곳은 교통 접근성이 좋지 않고 시내버스도 드문드문 다녔다. 우리는 이러한 단점을 극복하고자 조경을 잘 꾸몄고, 그 결과 세 개의 요양병원 중 가장 자연과 가까워 친근하고 정겨운 곳이 될 수 있었다.

노인 환자들은 시골 분들이 많아서 병원 주변 땅에 무엇이든 심어서 기르려고 한다. 우리는 과실수와 시금치, 상추, 고추 등을 심고 작물이 잘 자라면 수확해서 드시도록 했다. 아무래도 평생 농사를 짓던 분들이라 병원에서도 소소한 즐거움을 느끼고 싶어 하시기 때문이다. 그런 즐거움을 병원에서도 충분히 즐길 수 있다는 걸 보여 드리고 싶었다.

든든한 7형제의 우애

_ 가족 경영

병원 규모를 늘려야겠다고 생각했을 때 가장 필요한 건 믿을 만한 동료다. 나는 가장 먼저 형제들 얼굴이 떠올랐다. 이들은 각자의 직장에 충실히 다니고 있었다. 내가 도와달라고 손을 내밀어도 결정은 내 몫이 아니었다. 그런데 고맙게도 내가 병원 사업을 같이 하자고 제안하자 선뜻 도와주겠다고 나섰다. 내 여섯 명의 형제 중 첫째 형과 막내를 빼고는 모두 나와 함께 일하고 있다.

나는 형제들의 능력에 맞는 병원 업무를 부탁했다. 토목과 건축기사 자격증이 있는 둘째 진성 형은 2008년 3병원을 개원할 때부터 합류해 병원의 자산과 기계, 비품 등 시설 환경 총괄 관리를 맡았다.

둘째 형님은 원래 토목업에 종사했었다. 하지만 건축 일은 계절에 따라 흐름을 타기 때문에 겨울에는 일거리가 부족했다. 3병원 모델링 공사를 할 무렵이 마침 겨울이라서 형님에게 부탁드렸더니 흔쾌히 공사를 맡아주었다. 그 일을 계기로 병원

시설 관리와 토목 관리가 시작되었고, 단기간에 공사를 마쳐야 하는 어려운 여건 속에서 인부들을 많이 투입해 세심하게 공사를 진행해주었다.

그런데 병원 업무와 관련해서 늘 의견이 통하지는 않았다. 형님은 병원을 확장하는 것보다 내실 성장을 주장하곤 했기 때문이다.

"그럼 할 수 있는 일이 아무것도 없어요. 시작이 힘들지 발을 내딛으면 다들 따라와요. 그러니 한번 지켜봐 주시면 좋겠어요."

사실 나도 한 걸음씩 나아갈 때마다 시행착오가 두렵다. 그래도 내가 대표인만큼 뒤를 따르는 사람들이 많기에 한번 결정한 일은 추진력 있게 끌고 나가야 한다. 나의 이런 성격이나 생각을 잘 아는 형님은 늘 걱정하시면서도 내 의견을 잘 따라주신다.

근면함과 성실함이 강점인 셋째 진형 형은 병원의 조경 및 환경관리 분야 업무를 맡고 있다. 현재 병원에서 가장 관리하기 힘든 업무를 항상 묵묵히 처리해주신다. 평소 착한 심성과 성실한 태도로 솔선수범하여 다른 부서의 업무 지원도 마다하지 않고, 휴일에도 항상 비상대기를 하고 있다. 혹시라도 병원에 문제가 발생하지는 않는지 긴장을 늦추지 않고 있는 것이다. 매년 4월이면 환자들과 직원들을 위해 정원을 예쁜 꽃밭으로 아름답게 꾸며준다.

세무사 사무실을 다니던 다섯째 진우는 사무국장이 되어 재무 관련 업무를 도맡고 있다. 작은 아버지가 운영하던 세무사 사무실에서 사무장으로 10년 동안 근무를 했는데, 늘 바빠서 새벽까지 야근하는 날이 잦았다. 나는 어느 날 동생에게 물었다.

"진우야, 지금 행복하니?"
"형! 갑자기 무슨 말이에요?"
"우리 병원에서 함께 일하면 어떨까?"

늘 지쳐 있는 동생을 보면서 병원 업무를 제안하고 싶은 마음이 들었었다. 동생은 예상치 못한 질문에 당황하는 모습이었지만 흔쾌히 병원 일에 함께하기로 결정해주었다. 전주와 서울을 오가며 1년을 보내다가, 병원 규모가 커지게 되면서 지금은 전주에서 병원 업무에만 집중하고 있다.

동생은 새로운 일에 도전하면서 활동 영역이 넓어지자 성취감을 느끼는 것 같았다. 10년 동안 회계 관련 업무를 해온 전문가인 만큼 병원 재무 관리에 큰 도움이 되었다. 자체 장부를 기록하는 일을 비롯해 관련 업무와 결산, 결제 등 전반적인 자금 관리에 능하다.

한번 계획하면 바로 추진하는 나와 달리 보수적이고 안정적인 성향이어서 간혹 의견 차이가 생길 때도 있다. 처음에 병원을 늘리겠다고 했을 때는 조금 더 미루자는 의견을 내기도 했지만, 일을 추진하기 시작하면 불도저처럼 밀고 나가는 나를 믿고 따라와 주었다.

동생은 병원 업무뿐만 아니라 독서 프로그램이나 워크숍, 봉사활동에도 꾸준히 참여한다. 처음엔 어색해했지만 점차 열정적으로 활동하는 동생을 보면 고맙기만 하다.

여섯째 진만은 한의원을 할 때부터 시작해서 병원을 성장시키는 데 가장 크게 기여한 고마운 동생이다. 7년째 KCC 품질보증팀에서 일하고 있었는데, 1998년 IMF의 긴 터널을 빠져나올 즈음에 우리 한의원에 환자가 부쩍 늘어났다. 진료와 경영을 동시에 하기가 힘들어진 나는 고민 끝에 동생에게 합류를 요청했다.

"진만이 네가 한의원 살림을 맡아주면 좋겠어. 경영 전반을 관리하는 사무장 역할을 해 줄 수 있을까? 어려운 결정을 하게 해서 미안해."

"알겠어요. 힘을 보태 보겠습니다. 형제가 같이 일하는 것도 의미 있을 것 같네요."

동생은 국내 굴지의 대기업에 다니고 있었기 때문에 이직할 필요가 없었다. 하지만 나의 간절한 부탁을 거절하지 않고 기꺼이 동참해주게 되었고, 적은 월급을 받고 고생하면서도 싫은 내색을 비추지 않고 꿋꿋이 일해왔다. 보약까지 직접 배달하고 복용 방법까지 환자들에게 자세하게 설명해주는 등 주인의식이 없었다면 하기 힘든 일을 해내준 것이다.

이렇게 형제들이 의기투합하여 열심히 노력한 결과, 전주에서는 나름대로 입소문이 났다. 한의원을 찾는 환자들이 늘었고, 약을 조제해 가는 분들도 많아져서 새벽 3~4시까지 약을 달이는 날도 부지기수였다. 당시에는 정말 바쁘고 힘들었지만, 그런 과정을 겪었기 때문에 지금의 효사랑메디컬그룹으로 성장할 수 있었던 것 같아 뿌듯해진다.

거의 처음부터 함께한 여섯째 동생이 가끔 그 시절을 회상할 때는 나까지 절로 입가에 미소가 돈다. 동생은 병원 행정을 총괄하는 경영혁신 본부장을 지내다가 2015년에 김제 가족사랑 요양병원의 이사장으로 취임했다.

동생은 지금도 여전히 조직이 제자리에 머물거나 도태되지 않도록 현장을 진두지휘하면서 조직원에게는 동기부여를 한다. 또한 "아는 만큼 보인다"는 신념을 지니고, 남보다 더 열심히 노력하는 동시에 배움을 게을리 하지 않는다. 바쁜 일정에도 시간을 쪼개서 가톨릭의료경영대학원 석사과정을 마쳤을 정도이다. 지금까지 함께 고생한 동생이 병원 관리자로 성장하는 모습을 보면 가슴이 벅차고, 우리의 미래가 지금보다 밝다는 생각마저 든다.

나는 병원을 키워 나가면서 아내와 형제들에게 많은 도움을 받았다. 누군가 꾸준히 성장하기까지 가장 큰 힘이 되어준 사람이 누구냐고 물으면, 고민 없이 가족이라고 말한다. 형제들과 함께 병원 사업을 해오면서 이전에 생각했던 것보다 긍정적인 부분을 많이 발견할 수 있었다.

가족 경영이라는 방식에서 빠뜨릴 수 없는 장점은 '무한한 신뢰'라고 생각한다. 가족인 만큼 서로 믿고, 의지하면서도 자기 일에 충실할 수 있다는 것을 나는 실제로 경험했다. 우리는 가족이라고 해서 마냥 편하게 지내는 것이 아니라, 함께 일하는 동료라는 사실을 잊지 않기 위해 존칭을 쓰고 사적인 감정을 배제한다. 작은 일에도 예의를 갖춰 일해 왔고, 앞으로도 그럴 예정이다.

가족 경영의 또 다른 장점은 빠른 의사결정이다. 어느 기업이든 의사결정을 할 때는 신중을 기해야 하기 때문에 오랜 시간이 필요하다. 하지만 가족 경영 체제에서는 믿음을 기반으로 형제끼리 힘을 합칠 수 있어 의사결정이 빠르다. 형님들과 동생들이 진심으로 믿고 따라 주는 덕택에 나도 성심을 다해 일을 추진하게 됐다.

가장으로서 어떤 일을 결정할 때면 힘들게 고민할 수밖에 없지만, 뒤에서 묵묵히 믿고 기다려 주는 가족이 있기에 헤쳐 나갈 수 있는 것과 같은 이치다.

한 가지만 더 말해보자면, 가족 경영은 가족들의 끈끈한 정을 유지할 수 있게 해준다. 우리는 모이면 40명 정도가 되는 대가족이다. 매일 얼굴을 보며 서로의 안부를 알 수 있기도 하고, 휴가 때면 여행을 함께 가기도 한다. 1년에 몇 번씩 모여서 식사를 하는 등 병원이 아닌 외부에서의 정기적 만남도 자연스럽게 이어지고 있다.

아내 김정연 병원장은 나의 첫사랑

아내이자 병원장인 김정연은 내 첫사랑이다. 아내는 중산층의 화목한 가정에서 자랐고 학창시절 1등을 한 번도 놓친 적이 없는 재원이었다. 아내가 대학에 입학해야 할 시기에는 반정부 시위가 빈번하게 일어났다. 언니가 서울에서 대학을 다니고 있었는데, 적응하기 힘들어 하는 모습을 보고 아내는 집에서 가까운 원광대 한의대를 지원하게 되었다.

나와 아내의 첫 번째 연결고리는 대학이었다. 한의학과 특성상 여학생이 별로 없었는데, 몇 안 되는 여학생들 중에서 이상하게 아내만 눈에 들어왔다.

"도대체 언제부터 나를 마음에 둔 거야?"

결혼한 뒤에 아내는 이렇게 물었다. 아내가 학과 행사에서 자기소개를 할 때, 작은 체구에 눈매가 또렷했던 모습이 처음 눈길을 끌었던 것 같다. 고등학생처럼 앳된 얼굴에 어른스러워 보이려고 파마를 한 모습이 인상적이었다. 아내가 자주 검은색 머리띠를 하고 다니던 모습이 아직도 기억에 선명하다.

아내는 어느 남학생들에게도 뒤지지 않을 만큼 당당하고 대찬 여학생이었다. 당시 저녁 7~8시만 되면 여자는 집에 들어가야 하는 분위기였지만 "나는 내버려 둬!" 하고 말할 만큼 두려움이 없었다. 늘 활기차고 자신감이 넘친 아내에게 나는 다가갈 용기를 내지 못했다. 그래서인지 아내는 대학 시절의 나를 잘 기억하지 못한다. 나는 아내의 당시 일거수일투족이 모두 기억나고 추억이 되었는데 말이다.

그 당시 '본초반'이라는 동아리에서 함께 활동하면서 '사서삼경', '명심보감'을 강독했다. 그렇게 나름대로 아내 주위를 맴돌았다. 그때 찍은 단체 사진을 보면 아내 옆이나 주변에는 늘 내가 있다.

그렇게 호감을 가지고 있던 중 같은 전주 지역에 살면서 자주 보게 되자 자연스럽게 결혼 이야기가 나왔다. 혼기가 꽉 찬 나이인데다 장모님이 사주를 보러 간 곳에서 나를 신랑감으로 강하게 추천한 덕분이었다. 우리의 연애 기간은 3~4개월밖에 되지 않았지만 별 어려움 없이 식을 올릴 수 있었다. 당시 아내는 대학원을 졸업하고 나서 30세에 전주 우석대 한의대 임상교수가 되었다. 우석대의 최연소 여성 교수였다. 아내는 전임강사에서 조교수, 부교수로 승승장구하고 있었다.

처음 처가에 갔을 때 식탁에 올라온 조기 두 마리를 보고 상당한 충격을 받았다. 가난했던 어린 시절, 조기는 감히 엄두도 내지 못할 반찬이었기 때문이다. 아내는 유복하게 살아왔지만 나는 그렇지 못했다. 어머니는 46살에 홀몸이 돼서 7형제를 키우셨다. 아내의 도시락에는 늘 소시지 반찬이 있었다하지만 내 도시락에는 김치뿐이었다. 나와 나의 아내는 동시대를 살아오면서도 가정환경이 크게 달랐다.

아내가 요양병원 사업에 동의해준 것에 대해서 큰 고마움을 느끼고 있다. 아내는 정교수가 되기까지 2년 정도 남았던 때였는데도 병원을 열자는 나의 제안을 받아들여준 것이다. 이러한 도움들이 있었기에 요양병원을 무사히 개원하고 성장시킬 수 있었다.

서로 다른 삶을 살았던 우리가 부부가 된 지 20여 년이 흘렀다. 사랑하는 가족으로, 일을 함께하는 동지로서도 각별한 애정이 많이 쌓였다. 하지만 일에 전념하느라 아이들에게 신경을 많이 쓰지 못했다는 생각도 든다. 그래서인지, 한번은 난감한 일에 맞닥뜨렸었다. 아들이 중학교 3학년이었을 때였다. 입시가 한 달도 채 남지 않았는데 계속 학원을 빠지고 PC방에서 게임을 한다는 사실을 알게 된 것이다.

"아드님이 며칠째 학원에 나오질 않아요. 너무 걱정하지는 마시고, 무슨 일이 있는지 확인해 보시는 게 좋겠어요."

학원 선생님과 통화한 아내는 너무나 놀랐다고 한다. 아들을 믿고 있었고, 생각지도 못한 일이었기 때문이다. 아이들은 집과 가까운 곳에 있는 처가 부모님 집에서 지내는 시간이 많아 사랑을 넘치도록 받으며 지냈지만 학업 관련으로는 방향이 어긋났던 것 같다.

아들을 돌볼 시간이 부족했던 것은 사실이다. 절박함과 비장함으로 병원 사업을 시작한 뒤로는 하루하루 시행착오의 연속이다 보니 여유가 많이 없었다. 당시에는 한의사가 병원을 개원한 사례가 없었고 병원 경영의 지식과 경험도 부족했다. 아침 6시 30분에 출근해서 밤 11시 30분에 퇴근했고, 주말도 없는 일상이 반복되었다. 그리고 일주일에 한두 번 서울로 왕복 7시간씩 들여서 병원 관련 교육과정을 찾아다니며 지식을 채워 나가다 보니, 자녀 교육이나 과제물 점검을 못 하고 방치하기 일쑤였다.

아이들이 성장을 하고 나면 부모가 원한다 해도 함께하는 시간을 가지기가 쉽지 않다. 우리 부부는 그 사실을 잊고 있었다. 병원 사업과 사회생활에 치중한 나머지 아이들을 잘 돌보지 못했던 것이다. 그 뒤로 아내는 아이들과 전보다 더 많은 시간을 함께하려고 노력했고, 나 역시 늘 가족과 주변을 돌아보려고 애썼다.

가족끼리 미국의 디즈니랜드 여행을 다녀오고 난 후로 우리만의 시간이 얼마나 소중한 것인지 다시금 알게 되었던 것 같다. 아들 녀석과 지내면서 다행스럽다고 생각되는 건, 주변의

사랑을 넘치게 받고 자라서인지 사회성도 있고 친구도 상당히 많은 아이라는 사실이다.

part 2 섬김, 배움, 키움, 나눔의 가치

PART 2

섬김, 배움, 키움, 나눔의 가치

따로 또 같이 덕불고필유린(德不孤必有隣)

'사람이 재산이다.'

효사랑전주요양병원을 개원하려고 준비할 때였다. 무일푼으로 시작하다 보니 주위에서는 우려가 컸다. 병원을 설립하기 위해서는 일단 대출부터 받아야 하는데 담당자는 사업계획서를 매우 꼼꼼하게 요구했다. 대출 수요가 많아지면서 심사가 깐깐해지다 보니 은행 담당자가 전권을 쥐고 있던 것이다.

"병원을 세우시겠다고요?"

나는 고심해서 쓴 자료를 들고 은행을 방문했다. 무심한 표정으로 서류를 들여다보는 담당자를 지켜보면서 손바닥에 땀이 차오르는 것을 느꼈다. 자칫 표정이 일그러질까봐 자세를 고쳐 잡고 기계적으로 고개를 끄덕였다. 담당자가 얼굴을 들어서 나를 쳐다보았다.

"왜 병원을 지으려는 거죠?"

"우리 가족들의 평안을 위해 일하자는 꿈을 가지고 있습니다. 더불어 환자를 돌보며 제 능력을 사회에 환원하고자 합니다."

나의 신념이 바로 전해졌는지는 알 수 없다. 인문학이나 경영학에 서툴러서 사업계획서를 잘못 썼을지도 모른다. 다만 몇 가지 철학과 목표는 분명했고, 이런 내 모습이 담당자의 눈에 흥미롭게 느껴졌는지 얼마 뒤에 대출 승인을 받을 수 있었다.

2006년, 그렇게 1병원을 개원했다. 병원을 빨리 성장시키고 싶다는 의욕이 강했기 때문에 사람들을 많이 만나고 병원을 홍보하면서 다녔다. 때로는 구청이나 보건소에 들렀다가 환자로 방문했던 사람들이 일하는 모습도 볼 수 있었다. 업무적으로 환자들을 만나게 되면 예상치 못했던 도움을 종종 받았고 그때마다 내가 하는 일에 대한 기쁨은 배가 되었다.

'이렇게 따로 또 같이 살고 있구나.'

그런데 1병원을 개원하고 나서 솟구쳤던 열정과 의욕은 곧 정체기를 맞이했다. 변화가 필요했다. 나는 더 좋은 병원을 만들어 보고자 1년 뒤에 다시 은행을 찾았다. 기다렸다는 듯이 대출 서류를 받아든 은행 담당자의 표정은 1년 전 처음 심사를 하던 때와는 달랐다.

"우리 가족을 위해서 병원을 키우겠다는 목표가 있었습니다. 하지만 이제는 더 많은 고용을 창출할 필요가 있습니다."

담당자는 우리가 지역사회에 기부한 내력과 병원을 이용하는 환자들의 만족도, 그리고 노사 문제없이 병원을 잘 이끌어온 것을 좋게 평가해주었다. 그동안 쌓아온 신뢰 덕분에 2병원을 개원할 수 있었다.

나는 속으로 이런 말을 떠올렸다.

'신의는 사람 사이를 더 굳건하게 만든다.'

현재 2군데 은행을 이용하고 있지만, 직원 급여 통장은 개원할 때 도움을 받은 은행을 통해 지급한다. 그리고 이제는 빽빽하게 작성한 사업계획서 대신 성실함과 신뢰를 통해 금융거래를 제의받는다.

"혹시 병원을 증축할 계획이 있으면 도와 드릴게요. 이사장님은 말로만 그치지 않고 확실하게 실천하신다는 걸 아니까요. 정말 대단하십니다. 사실 처음엔 서류가 좀 과장된 게 아닌가 싶었는데 그대로 다 이행하실 줄은 몰랐어요. 요즘 약속을 지키는 사람은 보기 드물잖아요."

인연을 소중히 하는 습관이 오래가는 인연을 만든다. 땀 흘리기 좋은 젊은 시절에 개원을 하면서 혈기와 열정을 바쳤는데, 그 중심에는 늘 신의가 있었다. 물론 도중에 곁을 떠난 사람도 있었지만, 전문 경영인이 아닌 나에게 길을 알려주고 고비를 넘게 도와주는 사람들과 함께 꿈꾸고 노력한 덕분에 여기까지 올 수 있었다.

효사랑메디컬그룹의 경영 철학은 '덕불고필유린(德不孤必有隣)'이다. 논어 이인 편의 한 구절로써 '덕이 있으면 외롭지 않고 이웃이 있다'는 뜻이다. 병원이 잘되려면 운영자가 도덕적이고 선해야 한다.

나는 아직도 병원을 운영하는 목적이 금전이나 물질적 이익이 되어서는 안 된다고 생각하며 지낸다. 가끔 욕심이 생기려고 할 땐 병원 설립을 위해 처음 대출받았을 시절의 간절함과 함께 삶의 목표를 떠올린다. 그리고 기업과 가정 내에서 불법을 정당화하지 않도록 스스로 마음을 굳건하게 다진다. 지금 병원이 날개를 활짝 펼치게 된 것도 이런 철학이 내 심지에 굳건히 아로새겨져 있기 때문이 아닐까?

덕분에 덕불고필유린은 언제나 현재 진행형이다. 덕이 있는 사람은 외롭지 않고 반드시 이웃이 있기 마련이다. 이런 사람들이 긴병에도 효심을 다할 것이 아닌가. 오랜 지병을 견뎌내고 있는 환자나 가족들이 덕불고필유린의 뜻을 잊지 않으면 좋겠다.

섬김, 배움, 키움, 나눔의 가치

병원을 경영하는 것은 기업을 운영하는 것과 비슷하다. 효사랑메디컬그룹을 경영하기 위해서는 좋은 경영 마인드와 핵심가치를 바탕으로 주 타깃 층을 집중 공략해야 한다. 따라서 주로 방문하는 환자들이 어떤 사람들인지를 먼저 파악해야 하는 것이다. 이는 우리 병원이 갖고 있는 차별성이자 개성이다.

나는 병원을 경영하는 총책임자로서 2010년에 병원을 잘 이끌어가고자 핵심 간부 20여명을 소집했다.

"우리 병원이 지향해야 할 핵심 가치는 무엇일까요? 자유롭게 의견을 내주세요."

"환자들이 병원을 내 집처럼 편안하게 생각할 수 있도록 보살펴 주는 게 아닐까요?"

좀 더 깊은 논의를 거친 뒤에 가장 중요한 한 가지 사실에 이를 수 있었다. 이제까지와는 다소 다른 결론이었다.

우리 병원에서 가장 중요한 건 환자와 그들의 건강이다. 그러나 그만큼 중요한 존재가 있다. 바로 직원들과 그 가족이다. 직원과 그 가족들이 이용할 수 있는 병원이어야 하는 게 우선되어야 한다는 새로운 의견이 나왔다.

"내 부모나 가족을 맡길 수 없는 병원을 남에게 추천할 수 있을까요? 내 부모를 직접 모시기에 안성맞춤인 곳, 그만큼 내실을 갖춘 곳이 진정한 요양병원이 아닐까 합니다."

새로운 중요성을 마주할 수 있었다. 병원 직원의 가족까지 안심하고 올 수 있는 병원이 되기 위해서는 우리 병원의 가치가 더 중요하게 확립되어 있어야 했다.

얼마 뒤 직원들의 여러 의견을 바탕으로 효사랑의 핵심 가치를 선포했다. 구체화된 효사랑의 핵심 가치는 네 가지 키워드로 정해졌다. 섬김, 배움, 키움 그리고 나눔이었다.

섬김은 우리 가족을 대하듯이 어르신들을 섬기는 마음을 가져야 한다는 뜻이고, 배움은 우리 스스로 자신의 직무 역량을 향상시키고 대인관계와 소통능력, 리더십을 강화한다는 뜻이다. 그리고 키움은 개인과 조직의 변화와 혁신을 통해 역량을 키우자는 의미였다.

그렇다면 나눔은 어떻게 말할 수 있을까? 나는 지역사회의 도움이 없었다면 효사랑 병원이 지금처럼 잘 운영될 수 없었을 거라고 생각한다. 그렇기에 지역사회에 감사하는 마음을 가지고 나눔을 실천해야 한다고 마음먹었다. 지역사회의 자랑스런 요양병원으로 우뚝 서고자 하는 바람도 있었다.

섬김과 배움, 키움 모두 중요하지만 마지막 나눔 역시 우리 병원에서 꼭 지켜야 할 핵심 가치다. 나는 직원들에게 이웃 사랑과 사회복지 실현이 나눔의 진정한 의미라는 것을 다시 한 번 강조했다.

직원들에게 네 가지 키워드를 한참 설명하고 나니 목이 마를 정도였지만, 멈추지 않고 이어나갔다. 직원들에게 핵심 가치를 이해시키는 것은 무척 중요하기 때문에 몇 번이고 강조해서 마음속에 새기도록 했다. 그리고 단순히 외우는 것으로만 끝나지 않도록 했다.

우리 병원에서는 두 개의 직무평가 시험을 실시하는데, 아내가 직접 문제를 출제한다. 직무평가 시험을 실시하겠다는 말에 직원들은 잠시 긴장한 기색을 내보였다.

"너무 걱정하지 마세요. 핵심 가치를 잘 알고 어떻게 실천하느냐를 물어보는 것이니까요. 문제는 공통 평가와 교양 부분이 있는데 100점 만점에서 20점은 기본 문항을 요약하는 것이고 80점은 원무부, 간호부, 총무부, 사회사업실 등 부서별로 다르게 출제합니다. 기본 문항은 김정연 병원장이 직접 출제했습니다."

담당 직원의 설명에 이어서 내가 덧붙였다.

"첫 번째 문제는 오늘 이야기한 병원의 미션, 비전, 핵심 가치를 써보는 것이고요. 그다음으로 색깔별로 병동의 이름을 알아맞히고 진료 의사들의 이름을 쓰는 문제가 나옵니다. 설마 평소에 강조했던 핵심 가치를 모르는 분은 없겠죠? 이제는 그런 분이 있으면 절대 안 될 겁니다."

답안의 순서를 정확하게, 그리고 교육한 내용과 연결하여 쓸 것을 당부했다. 시험을 볼 때마다 직원들이 오늘 교육받은 내용을 얼마나 숙지하고 있을지 궁금했었다. 그만큼 직원들이 우리 병원의 핵심 가치를 깊이 새기기를 바랐던 것이다. 누군가에게는 귀찮거나 부담스러운 시험일 수 있어도 우리의 자세가 항상 시험에 대비하듯이 준비되어 있어야 한다. 시험이 아무리 귀찮을지라도, 환자 가족들이 부모에게 효도하는 마음을 생각한다면 버텨내야 할 것이다.

아름답고 편안한 휴식처를 만들다

"요양병원은 최대한 밝고 환해야 합니다. 어르신들은 화사한 색상을 선호하기 때문입니다. 어르신들의 기호에 맞추는 것이 우리 병원의 철학입니다."

우리 병원의 인테리어 콘셉트는 바로 '오감만족'이다. 나는 요양병원은 밝아야 한다는 아내의 의견에 동의를 했다. 그래서 무엇보다 먼저 병원 내부의 색깔과 인테리어를 두고 고심했다.

요즘은 '호텔 같은 병원'이라는 콘셉트도 나오고 있지만, 우리는 그보다 병원의 콘셉트에 어울리는 색상을 선택하는 게 우선이었다. 일반 고객이라면 호텔처럼 통일성과 조화로움을 추구하는 인테리어를 선호하겠지만, 우리 병원에는 나이 드신 환자분이 많다. 그분들의 기분을 환기시켜줄 화사한 색상이 필요했다. 하지만 내 생각을 들은 인테리어 디자이너는 처음부터 말렸다.

"색깔이 너무 뒤섞이면 어수선해 보입니다. 통일감도 없어요. 환자들이 심리적으로 안정을 취할 수 있도록 해야 하지 않을까요?"

조화와 통일성이 부족하다는 지적이 이어졌고, 직원들 사이에서도 좋다는 측과 별로라는 측으로 반씩 나뉘었다. 대부분은 전문가의 조언을 따라 인테리어 콘셉트를 정하겠지만, 나와 아내는 주장을 굽히지 않았다. 노인들이 좋아하는 색상은 일반 사람들과 분명한 차이가 있다고 여겼기 때문이다. 인테리어 회사별로 카탈로그를 7권씩 가져오게 해서 디자이너와 하나하나 넘겨보며 상의했다.

"화사한 색상의 벽지를 선택해서 알록달록한 원색으로 꾸며

주세요. 병실마다 서로 다른 벽지를 고르겠습니다. 벽지 하나까지 까다롭게 챙기는 것은 모두 환자들을 위해서입니다. 인지장애가 있는 환자들은 자신이 생활하는 병실을 찾는 것조차 힘들거든요. 병실마다 벽지를 다르게 꾸미면 자기 방을 쉽게 찾을 수 있을 겁니다."

나는 인지장애 환자들을 최대한 배려하는 아이디어를 냈다. 병실마다 빨간색, 초록색 등 다른 색으로 꾸며서 인지장애 환자들이 불편하지 않도록 하는 것이다. 그리고 대부분 환자들은 알록달록한 원색을 선호하기 때문에 창문에는 르누아르, 마네 등 명화가 프린트된 아트 롤스크린을 달았다. 그러나 중환자들이 머무르는 곳은 좀 더 차분한 톤으로 단아하되, 화사한 분위기로 꾸몄다.

나이가 들면 칙칙한 색을 싫어한다는 사소한 기호도 놓치지 않아야 한다. 병원에 갇혀 있다는 생각이 들지 않도록 벽지도 실크로 도배해서 편안함을 느낄 수 있게 했다.

"조명도 병동마다 각기 다른 모양과 색상으로 설치해주세요. 거실 천장도 방마다 다르게 꾸미면 좋겠습니다. 우리 병원에서는 색이 아주 중요한 역할을 하거든요."

어르신들의 눈이 편안한 것도 중요하다고 생각해서 천장 조명에도 신경을 썼다. 원가 절감을 이유로 낮에는 등을 꺼놓는 요양병원이 많지만 우리는 낮에도 등을 켜고 밝은 분위기를 유지했다.

각 병동마다 상징 색상도 있다. 2층은 파랑색(편안함), 3층은 주황색(행복), 4층은 노란색(미소), 5층은 연두색(활기), 6층은 하늘색(즐거움), 7층은 빨간색(사랑)으로 병동마다 고유한 색으로 각각 다른 의미를 부여할 수 있었다.

시각과 함께 후각적인 부분에도 신경을 써야 했다. 요양병원 특성상 환자 기저귀를 주기적으로 갈아야 하기 때문에 내부에 냄새가 심하기 때문이다. 우리는 3억 원 정도를 들여서 천장에서 냄새를 빨아들이는 에어 존 시설을 마련하고, 낮에 치료를 할 때는 한방 쑥을 피워 탈취가 되도록 했다. 그러다 보니 우리 병원에 처음 방문하는 사람들은 다른 병원들에 비해 실내 공기가 좋다고 칭찬하면서 그 비결을 묻기도 한다.

일반인들에게 병원은 치료를 위해 잠깐 들르는 공간이다. 하지만 요양병원은 다르다. 어떤 환자에게는 생을 다할 때까지 지내는 삶의 공간이라는 점을 제일 먼저 생각해야 한다. 나는 환자들이 사람들과 담소를 나누고 편하게 텔레비전도 보는 공간을 갖추고 싶었다. 비용이 들어도 아낌없이 투자하겠다는 다짐을 이어나갔다.

이런 노력 덕분에 우리 병원의 휴게 공간은 다른 병원들과는 사뭇 다른 분위기를 갖게 되었다. 밝고 활기찬 분위기로 모두의 마음을 편안하게 만들어 주는 것이다. 인테리어 비용이 평균보다 3배 많이 들었지만, 반응은 좋다. 환자 가족들도 여러 공간을 직접 둘러 보고나면 더 기뻐한다.

다른 병원 관계자들은 우리 병원을 방문할 때마다 어김없이 내부 분위기를 유심히 살펴본다. 병원 관계자뿐만 아니라 인테리어 관계자들도 일부러 찾아와서 우리 병원 내부를 보고 갈 정도다.

2006년 1병원을 개원하던 때와는 분위기가 많이 달라졌다. 이제는 요양병원도 화사하고 밝게 꾸미는 추세다. 2007년에 일본의 요양병원에 견학갔을 때 한국과 달리 밝고 환한 분위기를 접한 게 도움되었다. 그리고 내 선택이 틀리지 않았음을 증명하게 된 것이다.

국내 최초로
의료기관인증을 받은 요양병원이 되다

어떤 일이든 목표가 명확하지 않으면 3~4년 내로 매너리즘에 빠질 수밖에 없다. 병원도 마찬가지다. 그러다 보면 의료 서비스를 개선하기보다는 그저 어르신들에게 친절하게 대하면 그만이라는 단편적인 생각을 할 수 있다.

특별한 노력을 기울이지 않아도 잘하고 있다는 착각에 빠지는 건 위험한 일이다. 이제는 병원도 서비스 업종으로 인식되고 있고, 소비자들이 요구하는 수준도 높아지고 있다. 우리도 내부 경쟁을 해야 하는 시대가 되었다.

"2013년부터는 요양병원도 의무적으로 의료기관인증을 받아야 합니다."

2012년 1월, 보건복지부는 요양병원도 의료기관 인증을 필수로 받아야 한다고 발표했다. 요양병원협회에서는 의무 인증이 부당한 처사라며 거부했다. 당시만 해도 요양병원의 인증 기준조차 마련되어 있지 않았다.

"일반 병원도 비용이나 인력 문제로 인증을 받지 못하는 일이 많습니다. 요양병원에 이런 기준을 적용하는 것은 말이 안 돼요."

"우리도 이제는 좀 더 앞을 내다보고 미래를 준비할 때가 됐어요. 기회는 준비된 자에게 온다고 하지 않습니까?"

우리 병원은 많은 경험과 내공을 쌓았지만 아직 완벽한 시스템을 구축하지는 못한 상태였다. 이번 일을 계기로 병원을 지속적으로 발전시키기 위해서 뼈대를 구축하지 않으면 안 되겠다는 생각이 들었다. 이제 나무 하나만 보는 것이 아니라 멀리 있는 숲을 내다볼 때가 온 것이다.

우리는 도전을 두려워하지 않고 곧바로 인증 평가를 받기 위한 준비 단계에 들어갔다. 아내와 나는 곧장 서울에 있는 의료기관 평가인증원을 방문해서 어떤 것을 준비해야 하는지 알아보기 시작했다.

"너무 빨리 오셨네요. 요양병원의 인증 기준이 아직 나오지 않았습니다."

"그럼 일반 병원용 인증 기준이라도 알려 주십시오."

인증원 차장은 우리를 보고 당황하는 눈치였지만, 그렇다고 여기까지 와서 빈손으로 돌아갈 수는 없었다. 결국 일반 중소병원용 인증 기준 자료를 받을 수 있었다. 분명히 요양병원과는 평가 기준이 다를 터였다. 나중에 확인해보니 일반 중소병원의 평가 기준은 요양병원보다 130군데 정도 더 강화된 인증 기준이었다. 요양병원과 달리 수술을 집도하기 때문에 기준이 높을 수밖에 없었던 것이다.

의료기관평가인증원에 다녀오고 나서 한 달 뒤인 2월부터 본격적인 준비에 들어갔다. 인증 준비팀을 꾸리고 의료기관평가인증 교육을 이수하고 컨설팅을 받는 것까지 차근차근 진행할 수 있었다.

수개월 동안 직원들은 병원의 시스템을 구축한다는 마음으로 밤을 새워 가면서 작업했다. 그렇게 일반 중소병원의 형식에 맞춰 준비한 자료를 토대로 요양병원 표준양식을 만들 수 있었다. 인증을 준비하려면 시간이나 노력도 필요하지만 비용도 무시할 수 없었다. 재정적인 뒷받침도 신경 쓰면서 꾸준히 인증 평가 업무에 전념했다.

그리고 2012년 9월, 효사랑전주요양병원은 전국 최초로 요양병원 인증시범평가 기관으로 인정받았다. 추석 즈음에 의료기관평가인증원에서 우리 병원을 처음 방문하여 인증모의평가를 실시했는데, 병원 시스템이 매우 우수하다고 하는 것이었다.

"한번 여세를 몰아 봅시다. 우리가 국내 최초로 인증을 받은 요양병원이 되면 좋겠습니다. 못할 것도 없어요."

등록 신청은 12월 말이었지만 요양병원 최초 인증기관으로 등록하기 위해 직원들은 하루가 멀다하고 철야 작업을 했다.

경쟁 병원보다 먼저 등록하기 위해 각종 데이터를 전날 미리 입력해 놓고 9시 정각에 신청을 했다.

결국 효사랑전주요양병원, 효사랑가족요양병원, 가족사랑요양병원 순으로 인증기관으로 등록할 수 있었다.

2013년 1월 15일, 우리는 드디어 국가에서 인정받은 요양병원이 되었다. 인증 평가를 준비한 지 딱 1년 만이었다. 1,300여 개에 달하는 요양병원 중에서 전국 최초로 3개 병원이 동시에 의료기관 인증을 받았다. 특히 김제시에 위치한 가족사랑요양병원은 전국 최초로 동시 적정성 평가에서 1등급을 받았다. 위험성 평가에서도 요양병원 최초로 인증을 획득했다.

인증평가원 원장이 직접 병원을 방문하여 인증서를 붙여주는 순간, 무엇보다 어느 병원보다도 우수한 결과로 통과했다는 사실이 무척이나 뿌듯했다. 인증 후에는 방문 신청 전화가 쇄도하기 시작했다.

"기준조차 없는 상황에서 1년 동안 인증을 준비한 것은 단지 시험을 통과하기 위해서만은 아니었어요. 우리 스스로 의료의 질을 관리하고 시스템을 만들었다는 데 더 큰 의미가 있죠. 3개 기관을 한꺼번에 평가 양식과 기준에 맞추는 과정은 쉽지 않았지만, 그만큼 가치와 보람이 있었습니다."

우리 병원을 본보기로 참고하기 위해 찾아온 사람들에게 전한 말이다. 우리는 작은 병원에서 시작해 '효사랑'이라는 브랜드를 알리고, 점차 주목받으면서 결국 전국 요양병원에서 인정받게 된 것이다. 나는 우리가 거둔 성과에 가슴이 벅차올랐다.

요양병원은 보통 시설이나 환경이 열악하다는 선입견이 있다. 그러다 보니 적정성 평가에서 인정받으려면 시설을 고치고 건물 구조나 병원 규정 등 세밀한 영역까지 신경 써야 한다. 환자의 사생활 보호에 관한 규정까지 마련해서 시행해야 하는 것은 물론이었다. 작은 일까지 세심하게 들여다보는 과정이 있었기에 병원 내부 시스템을 구축하는 데 많은 도움이 되었다.

앞서 말한 적정성 평가란 건강보험심사평가원에서 의료의 진료와 구조, 시설 부분을 매년 평가해서 등급을 매기는 것을 말한다. 예를 들어 환자가 쓰러지면 심폐소생술을 할 수 있는 시스템이 갖추어져 있는지를 보는 식이다.

우리 병원은 적정성 평가에서도 늘 성적이 우수했다. 평가에 따라 1~5등급으로 나뉘는데 1,200개 기관 중 10% 이내에 들면 우수한 기관으로 인정받는다. 대개 2, 3, 4등급을 받지만 우리는 2008년 첫해부터 꾸준히 1등급 병원으로 평가받았다.

우리 병원은 원스톱 연계 시스템을 도입했다. 환자들이 원하는 공간에서 필요한 진료를 받을 수 있도록 도와주는 시스템으로, 원스톱 연계 시스템을 이용하면 요양병원, 요양원, 가정간호 서비스를 연계해서 이용할 수 있다는 장점이 있다.

환자가 퇴원 후 요양시설에 입소하기를 원하면 요양원을, 또 집에서 치료 받기를 원하면 가정간호 서비스를 연결해주는 방식이다. 따라서 환자들은 요양병원에서든, 요양원에서든, 가정에서든 각자 원하는 곳에서 의료 서비스를 받을 수 있기 때문에 편리함을 느낀다.

어르신은 건강하게, 가족은 편안하게, 직원들은 즐겁게

"세계에서 가장 친근하고 행복한 이미지를 가진 브랜드는 뭘까요?"

회의 도중에 누군가 이렇게 묻자 진지하던 분위기에 흥분이 더해졌다.

"월트 디즈니 아니에요?"

수많은 애니메이션과 캐릭터 그리고 디즈니 월드로 언제나 행복한 이미지를 떠올리게 하는 월트 디즈니사. 그곳의 미션은 무엇일까?

'MAKE EVERYONE HAPPY.'
'모든 사람을 행복하게 만들자.'

쉬운 단어들로 이루어진, 대중의 마음을 사로잡는 미션이다. 기업이나 병원의 경영 미션도 이처럼 명확해야 한다고 생각했다. 그리고 실생활의 행복을 추구해야 한다. 우리도 디즈니 못지않은 미션을 만들기 위해 고심했다.

"어르신은 건강하게, 가족은 편안하게, 직원들은 즐겁게 모두 어우러져 행복한 세상을 만들겠습니다."

이것은 바로 효사랑메디컬그룹의 미션이다. 당연시 될 정도로 쉽고 짧은 문구지만 힘 있는 가치를 담기 위해 김정연 병원장과 박진만 이사장이 머리를 맞대고 고심해서 만들었다. 뜬구름 잡는 식이 아니라 어르신들의 건강과 가족의 편안함을 기원하는 마음으로 만들었기에 더욱 만족스럽다.

그리고 우리는 마침내 효사랑전주요양병원의 미션을 확립하고 비전 선포식을 열었다. 효사랑의 비전은 '환자의 아픈 몸뿐만 아니라 마음까지 건강하게 치료하는 병원, 지속적인 교육과 학습을 통해 개인의 성장과 병원의 발전을 도모하는 병원, 웃음꽃이 활짝 피어나고 즐거운 문화가 있는 병원, 지역사회에서 어려운 이웃을 돕고 사랑과 봉사를 실천하는 병원, 끊임없는 열정으로 늘 새롭게 변화하고 혁신하는 병원'으로 정했다.

"우리는 한 가족이라는 생각으로 임해주시기 바랍니다. 환자와 환자의 가족은 곧 직원의 가족입니다. 또 우리 직원들도 우리 병원의 고객이라는 것을 잊지 말아야 합니다."

나 자신에게 다시 한번 당부하는 말이기도 했다. 환자는 물론 직원들과 그 가족까지 모두 행복한 병원, 행복한 공간을 만들어가자는 뜻이다. 한때 가족이라는 말의 의미를 등한시했던 직원들도 시간이 흐르자 자연스럽게 이해해줬다.

우리가 환자와 그 가족들에게 어떻게 대하느냐에 따라 효심이 나타나는 일이 달라질 수 있다는 것을 명심하고 또 명심하자고 직원들에게 강조한다.

나는 매번 마음속에서도 생각한다. '섬김! 배움! 키움! 나눔!'의 중요성을 말이다.

part 3 밸런스 경영

3 밸런스 경영

스마트 병원

'전라북도 요양병원 최초 EMR(전자의무기록) 도입'

어딜 가도 스마트 시스템이 도입되고 있다. 우리도 디지털 시대에 걸맞은 병원으로 나아가기 위한 시도가 필요했다. 우리 병원은 디지털 병원을 구현하기 위한 핵심 프로그램인 EMR을 2010년에 구축했다. 이전까지 요양병원은 수기 차트를 사용하는 것이 일반적이었고, 대형 병원에서도 EMR을 구축한 곳이 많지 않았다.

수기 차트를 사용하면 오더를 내리는 사람의 필체가 나쁠 때 다른 의료진이 정확하게 읽지 못할 수도 있다. 간호 인력이 부족한 요양병원으로서는 차트에서 누락과 실수가 늘어나면 큰 문제로 이어질 가능성도 있었다.

하지만 EMR에서는 오더 및 처치 내용을 바로 컴퓨터로 입력하기 때문에 실수를 방지할 수 있다. 또한 내용을 한번에 확인할 수 있게 '묶음 처방'이 가능하므로 차트를 체계적으로 관리하는 것도 가능하다.

하지만 이런 장점이 있음에도 도입 초기에는 어려움이 많았다.

"저는 수기 차트가 익숙해서요. 다음부터 EMR을 쓸게요."

"저는 나이가 있어서 컴퓨터는 잘 몰라요. 그냥 예전 방식이 편한데……."

경력이 오래된 직원일수록 수기 차트가 익숙하다 보니 컴퓨터를 사용하는 데 어려움을 겪었다. 그러나 필요한 시스템인 건 분명했다. 나는 직원들이 익숙해질 수 있는 과정이 필요하다고 생각했다.

EMR을 활성화하기 위해 사내 타자경진대회를 열어 역량을 키우도록 유도했으며, 직원이 컴퓨터 학원 수강 신청을 하면 등록비를 전액 지원해주었다. 이런 과정을 1년 정도 거치면서 EMR 시스템은 안정화되었다. 현재는 모든 직원이 EMR을 자유롭게 활용할 수 있다.

EMR은 비용이 많이 들어간다. 컴퓨터를 구비하고 서버를 구축하는 데 수억 원이 들 정도다. 비용 문제로 좌절할 수 있는 일이었지만, 나는 명확한 처방을 위해 EMR을 사용하겠다는 의지가 확고했다.

또한 우리 병원에서 쉽게 활용 가능한 프로그램을 만들겠다고 마음먹은 상태였다. 우리는 대형 병원에서 사용하는 수많은 기능이 전부 필요하지 않다. 그렇기 때문에 요양병원용 프로그램 개발을 따로 의뢰했다. 6개월간 개발한 끝에 2009년 9월에 탄생한 요양병원용 EMR을 시범 가동할 수 있었다. 전 직원의 EMR 사용이 안정화될 수 있도록 시범 기간에는 수기 차트도 병행했다.

그리고 2010년 1월부터는 EMR을 3개 병원에서 전격 사용하게 됐다.

"효사랑전주요양병원의 EMR을 벤치마킹하고 싶습니다. 급성장세를 보이는 병원도 EMR을 별로 사용하지 않는데 요양병원에서 이렇게 잘 구축한 것은 처음인 것 같습니다."

이후 다른 병원의 직원들이 EMR의 장단점을 배우기 위해 찾아왔다. 요양병원용 EMR 시스템을 구축하는 데 있어 우리 병원이 선도 역할을 한 셈이었다. 우리가 만든 기술을 토대로 다른 병원에서 업그레이드했으니 효율성이 높아질 수밖에 없었다.

2013년 보건복지부 인증이 의무화되면서부터 EMR이 전국적으로 주목받게 되었다. 인증을 받으려면 서류 준비가 복잡한데 EMR로 하면 훨씬 편하게 진행할 수 있기 때문이었다. 인증평가 당시 보건복지부 인증조사위원들도 깜짝 놀랐다.

우리 병원의 OCS(처방 전달 시스템)도 빼놓을 수 없다. 예전에는 의사가 처방을 내면 차트를 들고 약제실로 전달해야 했지만, OCS를 사용하면 의사가 처방을 내린 뒤 약 포장기가 자동으로 약을 조제하게 된다. 종일 작업하기에도 시간이 빠듯한데 이제는 ATDPS(전자동 약포장 시스템)를 통해 신속하게 포장할 수 있게 되었으며 실수로 인한 투약 오류도 줄어들었다.

2013년에는 PACS(자동영상 전달 시스템)를 구축할 수 있었다. PACS는 주로 종합병원에서 이용하지만 우리는 1, 2, 3병원에서 동시에 쓴다. 보통 요양병원에서는 일반적으로 방사선을 촬영할 때 PACS 시스템보다 엑스레이 필름을 이용한다. 그러나 필름은 현상해서 환자에게 사진을 보여 주고 다시 병원에서 보관해야 하는 번거로움이 있다.

PACS는 신뢰도가 높은 시스템이지만 구축하려면 역시 또 비용이 만만치 않다. 따지고 보면, 요양병원의 시스템상 PACS는 별도로 수가가 책정되지 않는다. 그러나 우리는 디지털을 선도하는 병원으로써 PACS에 대한 투자도 필요했다.

전라북도 내 요양병원 최초로 PACS를 구축해서 진단 상황이 진료실로 빠르게 전달되는 효과를 보았다. 환자와 함께 화면을 보면서 상담할 수 있는 만큼 효율성도 더 높아졌다. 언제든 화면을 확인하면서 설명할 수 있으니 환자와 의료진 모두 만족할 만한 시스템을 갖춘 것이다.

우리 병원은 업무 보고와 결재 그리고 의사소통 역할을 하는 사내 인트라넷을 통해 업무를 공유하며, 경영적인 부분에서는 ERP(전사적 통합자원관리)를 이용하고 있다. ERP는 기존의 인트라넷 기능에 인사 관리, 재고 관리, 물품 신청, 급여, 약물 관리까지 다루는 통합 솔루션 프로그램이다. 그러다 현재는 자체 전산실을 통해 우리만의 맞춤 솔루션을 이용하고 있다.

ERP는 아직 대형 병원에서도 구축한 사례가 많지 않다. 비용이나 직원들의 적응이 문제가 있기 때문이다. 그러나 환자에게 최상의 편의를 제공하고 업무 효율성을 높이기 위해서는 구축해 두는 게 합리적이라고 판단했다. 우리는 늘 효율성과 환자의 편의를 위해 노력하고 있다.

병원이 먼저 변화하고, 스마트해져야 한다. 영리해진 만큼 환자와 더 많은 시간을 보낼 수 있기 때문이다. 환자의 상태를 체크하고 가족들과 더 많은 이야기를 나누기 위해서는 행정 업무와 시설관리 업무를 최대한 효율적으로 해내야만 한다. 우리의 이러한 노력들로 인해 긴병에 효도하는 많은 효자효녀가 힘을 얻었으면 좋겠다.

병원도 경영이 필요한 곳이다. 사람들은 병원이라는 곳의 경영을 조금 어색해한다. 병원에서는 아픈 환자를 돌보는 기능만이 중요하다고 여기기 때문이다. 그것은 아주 당연한 말이다. 하지만 병원에서 첫 번째로 중요한 게 마음으로 환자를 보살피는 거라면, 그 뒤로 중요한 건 병원의 안정이다. 병원이 안정적이여야만 환자를 보살필 수 있고, 좋은 의사들을 유치할 수 있기 때문이다. 즉 '병원만의 의료경영'이 필요하다.

올바른 경영을 위해 배움도 필요했다. 병원장인 아내와 이사장인 여섯째 동생이 가톨릭대학교 의료경영대학원 의료경영학 석사과정을 마쳤다. 직원들을 대상으로도 의료경영의 실제적인 교육이 필요하다고 생각했다. 때마침 워크숍이 잡혀 있어, 병원 재무에 대한 직원들의 생각을 직접 들을 수 있었다.

"여러분, 어떻게 하면 우리 병원의 재무가 튼튼해질 수 있을까요?"

"복사지를 이면지로 활용하면 좋겠어요."

"관리과에서는 형광등을 하나씩 빼서 전기를 아끼면 좋을 것 같아요."

"원무부에서는 미수금을 줄여야 하지 않겠어요?"

"간호부에서 기저귀를 절약할 것을 건의합니다."

일반적으로는 좋은 답변일지라도 지금 상황을 해결할 수 있는 해답은 아니었다. 병원에서는 개인 정보가 중요하기 때문에 이면지를 사용해서는 안 된다. 형광등을 하나씩 빼면 병원 내부의 조도가 떨어져 방문한 사람들이 어두운 곳이라고 느끼게 된다. 게다가 요양병원에서는 기저귀에 대소변이 조금만 묻어도 갈아줘야 하는 건 너무 당연한 이야기다.

소모품을 줄이고 불필요한 지출을 막으려는 시도가 요양병원에서는 합리적이지 않을 수 있다. 의료 서비스의 질적 저하를 초래하기 때문이다.

우선적으로, 병원이 성공하려면 재무 구조가 탄탄해야 한다.

병원을 사과나무 한 그루에 비유해보자. 지속적인 학습과 지속적인 훈련으로 직원들의 역량이 높아지면, 나무의 줄기라고 할 수 있는 내부 프로세스가 개선되기 마련이다. 그러면 고객들 관점에서 가치라고 볼 수 있는 나뭇가지가 늘어난다.

결국 환자가 늘어나고 재무적으로도 성과가 나타나게 된다. 학습과 성장으로 뿌리를 튼튼하게 해야 줄기가 자라고 고객들에게 많은 가치를 전달할 수 있는 것이다. 환자는 곧 열매라고 할 수 있으며 재무적인 관점에서는 수익이라고 볼 수 있다.

이것이 바로 BSC(Balanced Score Card, 균형 성과표) 전략이다. BSC 경영은 조직의 밸런스가 맞아야 원하는 결과가 나온다는 게 핵심이다. 이를 학습과 성장의 관점, 내부 프로세스적인 관점, 고객의 관점, 재무적인 관점으로 나눠서 설명할 수 있다.

병원의 BSC 전략에서는 소소한 것을 근검절약하라는 미션은 어울리지 않는다. 수량으로 측정해서 유지 및 관리한다고 해도 극단적으로 양을 줄이면 문제는 더 생길 수밖에 없다. 나는 직원들이 좀 더 넓은 관점으로 요양병원의 선도자이자, 개척자의 시각으로 앞선 인식을 갖는 게 좋을 거라 생각했다.

그저 지방의 요양병원을 경영하는 것이 아니라 우리가 요양병원의 문화를 선도한다는 자긍심을 갖게 해주고 싶었다. 그렇게 하기 위해서는 먼저 직원들이 병원을 사랑할 수 있도록 만들어야 했다.

효사랑 BSC 전략 체계도

의미	관점
- 효율적인 원무와 원가관리를 통한 순이익 극대화 - 사업 다각화로 끊임없이 변화하고 혁신하는 병원 - 재정안정이라는 기반 아래 직원복지와 사회적 기여에 이바지하는 병원	재무 관점
- 어르신들의 즐겁고 활기찬 여생을 돕는 일 - 보호자에게 심리적 편안함을 주고 감사를 받는 일 - 지역 내 모든 관계자들에게 신뢰 받는 일	고객 관점
- 실용적 회의, 끊임없는 업무개선 - 연, 월, 주간계획 수립 / 철저한 시행 - 통합적 자원관리 및 경영혁신 시스템 구축	내부프로세스 관점
- 독서경영을 통한 전 직원 지식근로자 만들기 - 실무중심의 팀 별 교육 및 분야별 전문가 육성 - 평가를 통한 지식성장 및 실천하기	학습과 성장 관점

효도도 밸런스가 중요하다. 제아무리 효자효녀라고 해도 아무 일도 하지 않고 부모의 병간호만 할 수 없는 노릇이다. 그런 자녀들을 칭찬하는 부모도 없다. 오히려 부모에게 미안한 마음과 괴로움이라는 걱정만 안겨줄 뿐이다.

자녀들은 요양병원에서 근무하는 의사와 간호사 등이 자녀가 부재중일 때 자신의 역할을 대신 해준다고 생각하면 된다. 의료진과 진지하게 부모님의 상태를 이야기하고 합리적이고 무리가지 않는 방법을 찾기 위해 노력하는 것이 중요하다. 긴병에 효도를 한다는 게 보통일은 아니니 말이다.

고객만족 경영을 위해서는 지역사회 공헌을 통한 홍보가 중요했다. 한의원을 운영하던 시절에는 박진상이라는 이름이 전주 지역의 브랜드 그 자체였다. 환자들의 입소문이 곧 홍보 수단이나 다름없었다.

우리 병원의 홍보는 한의원 시절에서부터 시작된다. 1995년에 전주 중앙시장에서 병원을 개원해서 10년 이상의 시간이 지나는 동안 브랜드처럼 굳혀졌다. 그러다 보니 1, 2, 3병원의 문을 열며, 지나가는 시민들과 보호자들에게도 친근하게 다가갈 수 있었다.

홍보 마케팅이라는 것은 지역 주민을 대상으로 해서, 작은 일부터 시작해야 한다고 생각했다. 가장 작은 홍보는 지역 행사나 체육대회에 찾아가서 어르신들에게 홍보 물품을 나눠드리는 것이다. 그렇지만 이 의견에 반대하는 직원들도 있었다.

"작은 선물을 나눠주기보다는 광고 매체를 이용해서 우리 병원을 알리는 것이 효과가 훨씬 크지 않을까요?"

매체를 통해 광고를 하고자 하는 생각이 드는 것은 당연하다. 그렇게 진행하는 홍보도 나름대로의 효과가 있겠지만, 나는 거창하게 시작하는 것만이 정답은 아니라는 확신이 있었다. 결국 직원들을 설득해서 지역 행사나 체육대회에서 어르신들에게 나눠드릴 선물을 함께 준비했다.

정이 있는 초코과자와 요구르트를 준비하고 여름에는 부채와 생수를 나눠주면서 작지만 정성을 느낄 수 있도록 한 것이다. 이런 물품들에 포스트잇 등을 활용해 병원 홍보 문구를 넣는 것도 빠뜨리지 않았다. 이렇게 소규모로 홍보하는 것에 대해 의아해하던 직원들도 이제는 발 벗고 나서서 행동한다.

"작년 선물로는 크레파스랑 스케치북을 준비했으니 이번에는 실용성 있는 우산이 어떨까요? 식사로 도시락 세트도 있으면 더 좋을 것 같은데……."

홍보에서 가장 중요한 점은 꾸준함이다. 그렇게 우리는 지역주민들이 많이 가는 행사에 지속적으로 참가해 김제시에서 열리는 어린이날 축제에 참여한 지 어느덧 8년이 넘었다. 이제는 가족사랑요양병원의 축제처럼 느껴질 정도이다.

홍보와 나눔을 결합한 봉사활동도 꾸준히 이어갔다. 나는 김제 가족사랑요양병원 개원 때부터 지역 경로당 560곳에 소화제, 파스 등 일반의약품을 채운 가방을 들고 다니면서 의료봉사에 열중했다. 주변에 보건소가 없어서 어르신들이 아플 때 응급 진료를 받기 힘든 환경이었기 때문이다.

"다른 병원들은 거래처와 협약기관에서 온 선물을 받을 텐데 우리는 오히려 선물하기 바쁘네요."

이런 말을 들은 적이 있을 정도였다. 하지만 나는 우리가 무언가를 받기 전에 먼저 감사를 표시하는 게 곧 홍보가 된다고 확신했다.

병원 운영에 있어 도움을 준 곳에도 감사를 표하는 것 또한 마땅한 일이다. 명절 때는 한의원 시절부터 우리 병원과 20년간 인연을 이어온 거래처들에 선물을 보내고 그동안 환자들을 소개해준 협약기관들에게도 명절 선물을 챙겼다.

고객서비스와 고객만족의 실현

2014년의 핵심 키워드는 Double CS(Customer Service, Customer Satisfaction)였다. Double CS는 고객서비스를 2

배로 고객만족을 2배로 올리자는 표현이다. 말 그대로 고객서비스과 고객만족이라는 두 마리 토끼를 잡아야 한다는 것이다. 그러기 위해서는 남다른 서비스가 필요하고 우리는 보여줄 수 있는 서비스를 지향해야 했다. 그게 곧 홍보라고 생각했다.

"어르신들에게 좋은 이미지를 심어주는 게 중요합니다. 깔끔하고 단정한 모습으로 친절한 마음을 표현하는 서비스를 하고, 청결하고 아름다운 병원이라는 인상을 주어야 합니다."

직원들이 바쁜 날에 화장을 하지 않는 일이 종종 있었다. 하지만 이제 직원들은 보여주는 서비스도 중요하다는 병원의 철학을 받아들여서 어르신들이 선호하는 차분한 분위기에 맞게 가꾸고 있다. 깔끔하면서도 단정하게 화장하고, 과하지 않은 색상을 썼다. 또한 환자들이 직원들의 역할을 쉽게 구분할 수 있도록 행정직은 초록색, 재활은 파란색, 의사는 흰색, 간호부는 연보라색으로 복장도 새롭게 지정했다.

외모뿐만 아니라, 환자와 가족들이 매번 지나다니고 보는 실내의 조경 또한 신경을 썼다. 화분을 구입해서 꽃을 옮겨 심고, 아트 갤러리에는 조화를 장식해서 실내 분위기가 화사해지도록 했다.

엘리베이터를 타면 가장 먼저 눈에 들어오는 지저분한 게시물은 떼고, 규격화하도록 했다. 작은 것 하나도 놓치지 않고 환자와 보호자에게 깔끔한 인상을 주는 게 중요하기 때문이다.

“어르신들이 제일 서운해하는 점은 바로 무시당한다는 느낌을 받는 거예요. 환자들이 마음으로 직접 느낄 수 있는 서비스가 고객만족 서비스의 출발점입니다.”

환자들에게 직원이 필요한 경우, 재빨리 뛰어가서 응대해야 한다는 것도 강조했다. 환자들은 원하는 것을 해결하기 위해 응급벨을 계속해서 누를 때가 있다. 이런 상황이 이어지면 직원들은 지치기 마련이다. 특히 야간에는 직원 수가 적다 보니 환자들의 부름에 신속하게 대응하지 못할 때가 있다. 우리는 이를 개선하여 환자들에게 최대한 발 빠른 서비스를 제공하고자 노력했다.

같은 년도에는 모든 직원에게 병원 서비스 코디네이터 과정을 필수로 이수하도록 했다. 그리고 부서 간 구분을 두지 않고, 전 직원 투표를 진행해서 모범이 되는 친절 직원을 선발하여 시상했다. 환자와 보호자들에게도 서비스 만족도를 조사하여 불만족스러운 부분까지 파악했다. 그다음, 이 내용을 공유해서 개선점을 찾기 위해 머리를 맞댔다. 그리고 그 효과를 바로 실감할 수 있었다.

"환자들 만족도가 많이 높아진 것 같습니다. 스스로 식사하기 힘든 분에게는 직원이 수발을 해드리는 게 효과가 좋습니다. 하루 한 끼 정도는 강당에서 뷔페처럼 식사를 준비해 드리면 환자들 기분전환도 됩니다. 보호자들도 고맙다고 인사를 해왔어요."

또한 병실 위생을 위해 직원들이 직접 1년에 2회(구정, 추석) 바닥 왁스 작업을 하게 했다. 쾌적함을 유지하고 낙상을 예방하기 위한 조치였다. 이밖에도 2014년 핵심 전략목표인 Double CS를 달성하기 위한 행동강령을 정하고 전 직원이 암기하여 몸에 배도록 했다.

첫째, 보여지는 서비스를 하자 (고객에게 단정한 외모와 쾌적한 환경을 제공한다)

둘째, 행동하는 서비스를 하자 (고객 요구에 빠르게 응대하여 실천한다)

셋째, 느껴지는 서비스를 하자 (고객에게 섬김의 마음이 느껴지도록 한다)

"45도로 인사하고 웃을 때 살짝 입 꼬리를 올리는 게 좋습니다. 자세와 말투, 태도, 표정에도 신경 써야 합니다. 마치 부모님을 대하듯 진심이 느껴지게 해야 하죠. 경계심을 가지면 안 됩니다. 말로만 친절하게 하는 것보다 꾸준하게 챙겨 드리는 것, 자주 손을 잡아 드리고 보살펴 드리는 게 중요합니다."

의료 서비스에는 배려와 정이 있어야 한다. 이 점을 강조하기 위해 환자와 직원들의 행동을 시뮬레이션해보았다. 환자와 직원들은 하루 이틀 보는 사이가 아니다. 가족처럼 한 공간을 공유하고, 생활을 함께하는 사이이기 때문에 가장 중요한 부분이라고 할 수 있다.

오랜 친구나 자식, 부모의 마음으로 환자의 상황에 공감해주는 것이 의료 서비스의 핵심이다. 보이는 것에만 치중되는 서비스가 아니라 진심이 느껴지는 서비스가 필요한 때다.

나는 무엇보다 병실 환자의 편안함이 가족에게도 전달된다고 믿었다. 먼저 가족의 마음이 편해야 환자도 치료에 전념할 수 있고, 건강을 찾은 뒤에 가족에게 달려갈 게 아닌가. 긴병에도 효자가 있는 것을 증명하는데 있어 병원도 한몫을 한다는 것을 믿고 있다. 이러한 효도도 작전이 필요하다.

"건물 주인이 깨진 유리창을 그대로 방치해 두면 어떻게 될까?"

깨진 유리창을 방치하면 지나가는 사람들은 건물 주인이 관리를 포기했다고 여긴다.

그리고 나머지 유리창까지 모두 깨뜨리게 되어 결국 우범지대로 몰락한다.

<깨진 유리창의 법칙>, 제임스 윌슨/조지 켈리

나는 '깨진 유리창의 법칙'을 얼마 전 우리 병원 화장실에서 발견했다. 어느 주말, 병원 시설을 관리하는 직원 한 명이 근무일도 아닌 일요일에 숨을 헐떡이며 병원에 달려왔다.

"아니, 일요일 이 시간에 어떻게 나왔어요?"

"상담 데스크 직원이 화장실에서 냄새가 나는 것 같다고 해서요. 별거 아닌 것 같아도 화장실 문제는 민감한 부분이거든요."

화장실에 함께 들어가 보니 그의 말대로 미세하게 냄새가 났다. 코를 막을 만큼 심한 악취는 아니지만 냄새에 예민한 사람이라면 불쾌할 정도였다. 화장실 냄새는 무심코 지나칠 수도 있는 문제였지만, 담당 직원이나 다른 직원 모두 마치 자기 일처럼 민감하게 반응하고 곧바로 개선했다.

이날의 일은 카메라 리포트 제도의 시발점이 되었다. 나는 직원들의 이러한 행동을 칭찬하고 독려해주고 싶은 마음에 작년부터 눈여겨보던 '카메라 리포트 제도'를 도입하기로 마음먹었다.

"카메라 리포트가 무슨 제도인가요?"

직원 한 명이 재빠르게 손을 들고 질문했다.

"작년에 우리 병원이 산업안전 보건활동대회에서 우수 사례로 선정되어 코엑스 본선 대회에 참석했었죠?"
"네, 우리 병원이 최우수상을 받았잖아요."
"그때 다른 기업에서 발표한 사례 중에 카메라 리포트가 있었어요. 예를 들어, 우연히 병원 기물이 파손된 것을 발견하면 스마트폰으로 촬영해서 사내 인트라넷에 올리는 거예요. 그러면 해당 부서에서 바로 조치할 수 있으니까요."
"우와, 파파라치 같은 거네요. 그럼 신고비도 있나요?"

넉살 좋은 다른 직원이 웃으면서 말했다. 포인트를 지급한다는 말에 직원들의 표정이 환해졌다.

"당연하죠. 제안만 하면 무조건 1만 포인트고 종류에 따라

1만, 5만, 10만 포인트로 나눠서 지급할 겁니다. 다른 병원은 물론이고 어디에서든 좋은 아이템을 발견하여 올려주면 업무에 즉각 반영하겠습니다."

카메라 리포트에서 가장 중요한 점 중 하나는 바로 보상제도다. 시스템과 프로세스의 개선뿐만 아니라 환자의 안전이나 의료의 질이 개선되는 효과가 나타나면 특별 보상을 해 주는 것이다. 예상한 대로 다양한 제안이 봇물 터지듯 쏟아져 나왔다.

"화장실에서 환자들이 볼일을 볼 때 링거를 걸 곳이 없어서 불편합니다."

"휠체어에 병동 색깔을 따로 나타내서 구분하는 건 어떨까요?"

카메라 리포트 덕분에 사소하지만 불편한 부분들도 많이 개선되었다. 환자들은 화장실에서도 링거를 편하게 걸 수 있게 되었고, 구분하기가 어렵던 휠체어도 병동 색깔별로 정리되었다. 이밖에도 다양한 아이디어들이 나와 바로바로 개선되었다.

의견이 많아지면서는 더 체계적으로 분류할 필요가 생겼다. 운영회의를 열어서 몇몇 직원들과 함께 논의 후 제안을 네 단계로 구분했다.

"실효성이 떨어지는 안건은 보류함에, 당장 처리할 수 있는 안건은 시행함에, 비용이 들어가고 관할부서의 결재가 필요한 안건은 기안함에 넣으세요. 그리고 최종적으로 완결된 안건은 완결함으로 들어가게 됩니다."

제안에 대한 분류를 나누자 직원들의 참여가 폭발적으로 늘어났다. 3~4개월 만에 무려 168건이 올라왔다. 이에 부응하기 위해 월례조회에서 좋은 내용들을 발표하고 아이디어를 낸 직원들을 칭찬하는 자리를 만들었다. 더 많은 안건이 나오게 되는 긍정적인 효과까지 얻을 수 있었다.

화장실 냄새를 없애려고 했던 사소한 관심과 개선이 카메라 리포트 제도로 정착하게 되면서 병원의 시설과 서비스가 눈에 띄게 향상되었다. 실행되기 어려울 거라고 생각했던 불편사항이 빠른 시간 내에 개선되자 직원들의 근무 만족도가 높아졌다. 덕분에 퇴사율이 현저히 줄기도 했다.

직원이 주체가 되고 고객이 만족하는 조직을 만들고 싶다면 나는 두말하지 않고 카메라 리포트를 실행하는 걸 추천한다. 작은 것부터 혁신해나간다면, 시간이 흐른 뒤에는 분명 큰 성과로 나타날 것이다.

지금 당신이 있는 곳을 매일매일 혁신하면 성공의 길이 보일 수 있다. 혼자가 아닌, 당신의 사람들과 함께 말이다.

병을 이기기 위해서는 가족과 병원 양쪽에게 작전이 필요하다. 긴병, 짧은 병 할 것 없이 병간호를 한다는 것은 어려운 일이며 모든 환자는 육체적, 정신적으로 나약해져 있기에 대비책이 없다면 간호인은 금방 지쳐버리기 마련이다.

환자가 앞으로의 계획을 스스로 구상해내고 가족과 간병인들로부터 더 나은 대우를 받을 수 있는 방법까지 찾는 건 무리일 수 있다. 그러나 의료진과 가족은 환자를 위해 여러 가지 아이디어를 짜내고 즐거운 마음으로 실행할 줄 알아야 한다. 작은 행동들이 모이고 모이다 보면 환자에게 큰 긍정을 선물할 수 있게 된다. 그 모든 것들은 좋은 결과로 이어질 수 있을 것이다.

골리앗을 이긴 다윗

병원 시설 내에서는 작든 크든 사고 위험이 늘 존재한다. 위험은 직원들에게도 마찬가지다. 병원 내에서 화상을 당한 직원도 있고 사내 체육대회에서 달리기를 하다가 골절로 3개월 이상 고생한 직원도 있었다.

이렇듯 어디에서든, 누구든 사고 위험에 노출될 수 있다. 우리는 안전이 필수적이라는 걸 느끼고 개선할 곳에 대한 조사와 여러 가지 안전 활동을 이어나갔다.

그리고 2013년도에 한국산업안전관리공단이 주최한 '안전보건활동 우수사례 발표대회'에 참가하게 됐다. 전국을 대상으로 시설의 안전관리 및 보건관리 상태를 검토하는 경진대회로, 전라남북도와 광주광역시 지부에서 예선을 진행했는데 10개 팀 이상이 참가했다. 우리는 부서별로 나눠, 사소한 사건사고의 위험성을 평가한 내용에서부터 개선한 활동 사례까지 모아서 발표했다.

여러 노력을 통해 결국 우리 병원이 호남권 대표로 당선되었다. 무엇보다 서울 본선에 진출하게 된 사실이 기뻤다. 그리고 본선에 올라가고 나서야 의료기관으로서는 유일하게 참가했다는 사실을 알 수 있었다. 지하철공사, 에스오일, 한국공항공사, 현대백화점, 금호리조트 등 10개 팀의 대기업들과 어깨를 나란히 해서 경쟁하게 되었다.

사실, 항공사나 지하철공사는 상시적으로 안전을 점검하는 업무가 많은 편이라 어떤 면에서 본선 경진이 다윗과 골리앗의 싸움처럼 느껴졌다. 발표 전까지 위축되는 기분에 긴장됐지만, 우리는 긴장을 가라앉히고 성의 있고 당당하게 프레젠테이션을 마쳤다.

"환자의 안전을 가장 중요하게 여겨야 하는 중요한 곳이지만, 그동안 의료기관이 참가해 발표까지 하게 된 적은 없었습니다. 정말 준비를 잘 하셨네요. 특히 안전사고 방지 사례가 감동적이었습니다."

대회 심사위원의 평은 칭찬일색이었다. 우리 병원은 최우수상을 수상했다. 대상을 차지한 한국지하철공사 다음으로 뛰어난 성적을 거둔 것이다. 1만 명이 넘는 큰 규모의 다른 회사들과의 경쟁에서 얻어낸 쾌거였다.

특화된 호스피스 전문 교육

호스피스는 죽음을 앞둔 환자가 평안한 임종을 맞도록 위안과 안락을 베푸는 봉사활동, 또는 그런 일을 하는 사람을 말한다.

환자의 마지막을 책임지는 호스피스들을 대상으로 하는 전문 교육은 요양병원에서 가장 중요한 부분을 차지한다. 학습자는 호스피스 교육의 핵심 덕목인 '나눔'을 진정으로 이해하고 환자를 섬기며, 아끼고 사랑해야 한다. 따라서 어떤 호스피스 전문 교육을 적용하는지가 매우 중요한 문제다.

효사랑메디컬그룹은 타 병원과 다른 특화된 호스피스 전문 교육과정을 채택했다. 다른 병원에서는 하루 동안 호스피스 직원들을 중심으로 교육을 하는 반면, 우리 병원에서는 2~3일 동안 전 직원을 대상으로 교육하고 있다. 이 과정을 마치면 '효사랑 호스피스 수료증'을 지급한다.

모든 직원이 같이 일한다는 대의를 이루기 위해 전 직원을 대상으로 교육하고 있으며, 필수 교육으로 규정했기 때문에 그 해에 수료하지 못하면 다음 해에라도 수료증을 받아야 한다.

호스피스 전문 교육과정의 기본은 이론과 체험을 동시에 배우는 것이다. 첫째 날에는 이론 수업을 하고, 둘째 날에는 저명한 호스피스 강사인 이상빈 목사님이 오셔서 직원들이 직접 관에 들어가 임종 체험을 할 기회를 마련한다.

교육과정의 최종 목표는 종교인, 의사, 간호사, 사회복지사, 봉사자가 한 팀이 되어서 보호자들과 상담을 하는 것이다. 이론 수업의 경우 간호사, 요양보호사, 사회복지사 등이 와서 교육을 진행하고 환자 및 가족들과 의사소통하는 방법도 가르친다. 임종이 가까워진 환자의 고통을 완화시켜 주고 죽음을 자연스럽게 받아들일 수 있도록 도와주기 위해서이다.

둘째 날의 임종 체험 활동은 말 그대로 직원들이 직접 임종 체험을 하는 것이다. 먼저 불 꺼진 세미나룸에 준비된 관 다섯 개에 직원들이 들어간다. 잔잔하게 흐르는 음악 속에서 명상을 하고 순서에 맞춰 2인 1조로 직접 관에 들어가 5~10분 동안 있는다. 칠흑 같은 어둠이 내리면 몇 사람이 유서를 발표하고 체험이 끝나면 목사님이 수료증을 직접 수여하는 순서로 진행된다.

이 체험 활동 중에 직원들 대부분이 섬뜩해한다. 관 속에 들어가면 오만 가지 복잡한 생각이 들기 마련이다. 그리고 유서를 읽을 때는 감정이 북받치는지 몇몇 직원이 눈물을 흘리기도 한다. 이 교육은 올해로 7년째 계속되어 자리가 잡힌 편이다.

직원들이 죽음을 간접적으로나마 체험해볼 수 있고, 호스피스 전문 인력으로 새롭게 태어난다는 의미가 부여되어 교육 만족도가 높기도 하다.

효사랑메디컬그룹은 이처럼 충분한 기간 동안 전 직원을 대상으로 이론과 체험을 동시에 교육해서 인재 양성에 기여한다. 특히 수료증을 부여하는 특화된 호스피스 전문 교육과정은 진정한 나눔의 가치를 실현한다고 볼 수 있다.

이러한 교육과정이라 할지라도 앞으로 풀어나가야 할 과제가 있다. 바로 전문적인 호스피스 팀을 꾸리는 것이다. 이 목표를 위한 작업은 현재도 진행 중이다. 나는 병원 8층을 호스피스 병동으로 완성시키기 위해 계속해서 노력하고 있다.

part 4 행동하는 서비스

part 4

행동하는 서비스

탈 기저귀운동

도움이 되는 공부가 있다면, 기꺼이 배워야 한다. 꼭 필요한 교육인데 국내에서 배울 수 없다면 해외 교육도 마다하지 않는 결단이 필요하다.

어느 날 나는 환자들이 기저귀를 차지 않고도 생활할 수 있도록 훈련한다는 일본의 요양병원 소식을 듣게 됐다. 직접 방문해서 배워올 필요성을 느꼈다. 환자 스스로 자신감과 병상생활을 이겨내고자 하는 의지를 갖도록 병원에서도 도와주어야 하는데, 쉽지만은 않은 일이다. 이미 시행하고 성공한 사례를 배우는 것도 중요하다고 생각했다.

"우리 병원은 정말 빡세게 공부시켜요."
"대학 입시를 준비하는 고3 수험생 같다니까요."

직원들이 우스갯소리로 입을 모아서 하는 말이다. 학교도 아닌 직장에서 공부를 시킨다고? 듣는 이들은 의아하게 생각할지도 모르지만, 우리 병원은 다양한 교육을 자주 한다.

대부분의 일반 병원들은 친절에 관한 자체 교육 및 춘계·추계 세미나가 직원 교육의 전부이다. 하지만 우리 병원에서는 의료 관련 교육은 물론, 각종 직무 세미나까지 있다. 게다가 필수적으로 이수해야 하는 노동부 직무 교육 외에 자체 교육도 받도록 한다. 자체 교육은 부서별로 부서장이 실무 지식이나 주의사항을 교육하거나 제도의 변화 및 병원의 새로운 방침과 공지사항을 전달하는 것을 말한다. 한 명의 직원이 네 가지 교육에 다 참석해야 하니 고3 수험생 못지않게 '빡센 교육'을 받는다는 소리가 나올 수밖에 없다.

"교육을 준비하는 데서 그치지 않고 직원들이 교육에 잘 참여하는지, 교육 내용을 제대로 이해하는지 확인하는 과정이 필요합니다."

다양한 교육을 준비했지만 막상 직원들이 잘 참여하고 있는지에 대해서는 알 길이 없기도 하다. 간혹 관련 내용을 물어보면 선뜻 대답하지 못하고 우물쭈물하는 직원들도 있었기 때문에 개인별로 교육 상황을 추적 조사해서 평가하는 시스템을 마련하게 되었다.

"평가원이 직원에게 찾아가서 한 사람씩 무작위로 점검할 겁니다. 교육 상황은 이수 카드를 만들어서 확인할 거예요. 선택과목과 필수 과목의 교육과정을 인증해야 하며, 특히 필수 과목은 반드시 이수하도록 해야 합니다."

이전까지는 교육 참석 여부를 직원들 스스로 기록했지만, 교육 학점제 시스템을 구축해서 관리하도록 한 것이다. 또 교육을 이수해서 연봉이나 개인성과에 반영하도록 했는데, 일부 직원들에게서는 볼멘소리가 나오기도 했다. 하지만 개인과 병원의 성장을 위해서는 멈출 수 없는 일이었다.

"이번에는 여러분이 직접 강사가 되어서 강의를 해보면 어떨까요? 명강사 못지않게 강의를 잘 할 수 있는 분이 많은 것 같아요."

"제가 사람들 앞에서 강의를 할 수 있을까요? 떨려서 목소리도 잘 안 나올 것 같은데요."

직원들은 난처한 기색이 역력했다. 사람들 앞에 나서서 강의하는 것을 부담스러워하는 눈치였다. 낯선 일이겠지만, 우리 병원에서 근무하는 직원들이 직접 설명하는 시간을 가지면 직원들끼리 나누거나 배울 점도 생길 거라 생각했다. 그렇게 자신의 일에 대해 직접 설명해보는 것도 스스로 받은 교육을 활용하는 점에서는 중요했다.

직원들은 처음으로 강사가 되어 프레젠테이션을 진행했다. 이런 직원 강사 활용을 통해 점차 외부 강사와 내부 직원 강사(부서장 중심)가 함께 강의하는 방식으로 바꾸었다. 걱정했던 것과는 달리 직원들이 적극 참여해주었고, 역량을 한껏 발휘하여 질 높은 교육을 위해 최선을 다했다.

현재 직원 교육을 담당하는 외부 강사진은 전문 교수들로 구성되어 있고 나머지는 현장 부서장 중심이다. 최근에는 내부 강사의 비율을 더 늘려서 현장교육에 박차를 가하고 있다. 하지만 나는 여기에서 그치지 않고 직원들이 더욱 발전할 수 있는 발판을 마련해주고 싶었다.

"직원 교육과정에 해외 연수 프로그램을 만들면 어떨까 싶어요. 교육에 투자하는 것은 아끼지 않아도 됩니다."

"해외 연수요? 어느 나라로요?"

"요양병원의 모델은 일본입니다. 직접 가서 보고 배울 게 많을 겁니다."

일본은 이미 고령화 사회가 된 지 오래다. 노인 인구가 많고 노인 요양 분야가 우리나라보다 발전한 상태이기 때문에 병원장도 내 생각에 동의했다. 일본 연수를 추진하기에 앞서 본보기로 삼을 만한 한국의 요양병원을 찾아보았다.

수소문 끝에 재활치료로 유명한 희연병원을 알게 됐다. 대한노인요양병원협회 회장을 지냈던 김덕진 이사장이 운영하는 곳으로 경상남도 창원에 위치해있었다.

나는 그토록 애타게 찾았던 요양병원의 롤 모델을 발견해낼 수 있었다. 희연병원은 우리나라 노인 요양병원의 초창기 모델을 제시했다. 김덕진 이사장은 일본을 수십 번 이상 방문해서 병원 운영에 필요한 부분을 벤치마킹하였다. 병원 직원들도 일본으로 연수를 보내서 교육하고 있는 중이어서 효사랑메디컬그룹이 앞으로 나아가야 할 방향까지 새롭게 세울 수 있는 기회가 되었다.

우리 병원은 2008년도부터 분기별로 간부 6~7명씩 일본 연수를 보내기 시작했다.

"일본에서는 일반식이 힘든 환자들에게 보조식을 먹여요. 또 탈 기저귀 운동이라고 해서 아무리 귀찮고 힘들어도 환자가 스스로 볼일을 보게 하더군요."

일본에 다녀온 직원들은 연수를 갔던 병원 시스템에 대해 말하면서 많은 것을 배웠다고 입을 모았다. 나는 직원들이 끊임없이 자극을 받을 수 있도록 연수 병원을 같은 곳으로 정하지 않고 여러 지역의 병원들을 돌면서 공부하게 했다.

직원들은 동료와 함께 해외에서 연수를 받고, 병원에 적용할 만한 시스템이 무엇인지 찾아가면서 유대감을 더 키울 수 있었다. 해외 연수는 여러 가지 면에서 직원이나 병원에 좋은 기회라고 본다. 2011년 일본 지진 이후로 연수를 잠시 중단했다가 최근 다시 시작했다. 달라진 게 있다면 이전에는 간부 중심이었지만, 현재는 일반 직원으로 확대해나가고 있다는 것이다. 일본 연수는 앞으로도 계속 진행할 계획이다.

초창기에는 일본 시스템이 무조건 우리보다 선진적이라고 믿고 따라갔다. 하지만 최근 8~9년 동안 우리나라의 노인 요양 시스템도 많이 발전했다. 부분적으로 살필 때, 소프트웨어 부분은 아직 부족해도 하드웨어 부분은 일본보다 앞서기도 한다.

일본뿐만 아니라 다른 나라의 우수한 병원들도 방문했다. 작년에는 원무부와 행정 파트 직원들을 데리고 태국의 유명한 범룽랏병원을 탐방했다. 동남아 국가에서는 우리나라 의료진에 대한 관심이 생각했던 것보다 컸다. 또한 싱가포르의 샴쌍둥이 수술로 유명한 레플즈병원을 포함해 말레이시아, 러시아, 중국까지 방문했다.

중국은 우리나라보다 의료 수준이 다소 떨어지지만 양의학과 중의학을 함께 처방하는 의사를 위한 면허 제도를 실시해 자연스럽게 동양의학과 서양의학을 결합한 시스템이었다. 태국과 싱가포르는 외국 의료진을 영입해서 진료하는 방식이었으며, 러시아는 치료를 목적으로 우리나라를 방문하는 환자가 많았다.

이렇듯 우리는 발품을 팔아 해외의 각 의료 기관들을 찾아다니면서 배웠고, 나라마다 의료 시스템이 모두 다르다는 것을 알 수 있었다.

"고령화는 세계적인 추세입니다. 해외 의료 시스템을 공부하는 것은 우리가 준비하고 있는 '비전 2020' 과도 일맥상통합니다."

해외 의료 시스템을 바탕으로 진료 모델을 구축해 놓으면 해외 진출을 모색할 수도 있다. 우리는 매년 몽골, 러시아에 다니면서 의료 시스템을 살펴본다. 해당 의료 기관을 직접 방문하고 체크한 내용을 토대로, 환자와 가족에게 도움이 될 만한 일들을 도입해 변화를 시도하고 있다.

이게 바로 우리의 역할이라고 생각한다. 환자와 가족들의 관계가 좋아지고 생활이 나아지도록 공부하고 돕는 것이 우리가 끊임없이 해야 하는 일인 것이다.

학교 같은 병원

일을 하는 이유가 오로지 돈을 벌기 위한 것 하나뿐이라면 삶이 얼마나 삭막할까.

만약 돈 하나만 아는 건조한 마음을 가진 누군가가 우리 병원에 들어온다면, 환자와 가족들에게 밝은 미소와 친절을 베풀 수 있을까?

나는 우리 병원 직원들에게 정확하게 전해지기를 바라는 것이 하나 있다. 환자는 물론, 그의 가족까지 나와 동행하는 사람이라고 여기는 마음이다. 그러기 위해서는 먼저 직원들에게 행복한 마음을 심어줘야 한다.

나는 우리 병원에서의 근무가 행복한 일이 될 수 있는 방법을 한참 고민했고, 결국 행복은 마음이 편안할 때 온다는 걸 깨달았다. 개인마다 마음이 편안하던 때라고 회상하는 시기는 다양하다. 그러나 비교적 많은 사람들에게 공감을 얻을 수 있는 시기는 바로 학창시절이다.

학생 때는 배우는 재미를 느낌과 동시에 서로가 편견 없이 어울리던 시기라고도 할 수 있다. 직원들에게 그 옛날 편안하고 즐거웠던 학창시절을 선물해준다면, 행복도가 올라가고 배움을 통한 발전 가능성도 충분해질 거라고 확신했다.

물론 반대로 행복한 일터를 만들기 위한 방법이 누군가에게는 성가신 공부가 될 수도 있었다. 나는 역량 발전에 도움이 되면서 부담은 덜어줄 수 있는 공부 방법을 한참 고민하다가, 독서를 떠올리게 되었다.

독서의 중요성은 더 말하는 게 식상할 정도다. 최근에는 스마트폰이나 태블릿 PC를 많이 이용하기 때문에 책을 드는 시간이 더 줄어들었다고 한다. 나는 스마트폰으로 시작해서 스마트폰으로 끝나는 생활은 잠시 접어두고, 독서의 중요성과 그 배움을 통한 즐거움을 다시 한번 알려줘야 한다고 생각했다.

그렇게 체계적인 독서경영을 위해 2006년 처음 독서학습 동아리를 만들었는데, 처음에는 병원 운영진 대여섯 명이 모여 'ABC'라는 이름으로 운영했다. ABC는 Anti-Book-Club의약자인데, 이른바 전라도 말로 '책을 징하게 싫어하는 사람들의 모임'이라는 역설적인 이름이었다.

우리는 독서를 좋아하지 않는 사람이라도 독서에 입문하는 걸 도와주기 위해 책을 구입하기 시작했다. 그리고 독서를 더 열심히 할 수 있도록 독려 방법을 모색했다.

"앞으로 감상문을 내면 현금 1만 원을 드리겠습니다. 책은 얼마든지 무상 지원해드립니다. 적극적으로 참여해주세요."

직원들의 눈이 동그래졌다. '설마 진짜일까?' 하는 눈빛이었다. 나는 실제로 직원들이 감상문을 내면 현금을 주었다. 현재까지도 진행하고 있는 독서경영의 시작점이었다.

독서경영을 효과적으로 운영하기 위해서는 먼저 독서 방법을 제대로 배워야 했다. 처음에는 독서토론 방법을 잘 알지 못해 외부 세미나에 찾아가 모니터를 하고, 강사도 섭외하는 등 여러 방면으로 시도를 했다. 그러다 보니 모임의 윤곽이 조금씩 잡혀갔다.

2007년부터 전국에서 제일 큰 독서동호회인 리더스클럽이 우리 병원 세미나실을 이용하게 되었다. 리더스클럽은 6년이 넘는 시간 동안 평균 주 2회 독서토론을 진행한 곳이었다. 아내는 리더스클럽 독서토론에 참여하다가 5년째에 접어들었을 때 자체적으로 독서토론 프로그램을 만들었다.

HMA(효사랑 모닝 아카데미)는 이렇게 생겨나게 되었다. 우리는 오전 7시~8시 30분까지 독서토론 시간을 갖는다. 초반에는 간부들을 중심으로 강제로 참여하게 한 다음 매달 추천 도서를 미리 알리고 필독하게 했다.

추천 도서는 다양하게 준비했다. 직원들의 독서분야가 편향되지 않도록 병원 경영서와 자기계발서, 에세이, 심리학 서적 등 인문서들도 두루 포함하여 리스트를 만들었다.

"제가 책을 안 읽고 왔는데……."

"그럼 오늘 토론에서 어떤 부분에 공감했는지 얘기해보세요."

초반에는 책을 읽지 않고 온 사람도 있었다. 그럴 땐 토론 내용 중에서라도 공감한 부분이 있는지 무작위로 물어보는 식으로 진행했다. 이와 같은 방식 때문인지, 책을 읽지 않고 오는 직원은 줄어들었다. 독서토론회는 책을 읽음으로써 스스로 학습하고, 토론을 통해 다양한 상황을 끌어내는 것이 중요하다. 그래서 직원들에게 줄거리와 인상 깊은 구절, 독서를 통해 깨달은 것과 적용할 내용을 적는 '본깨적 노트(본 것, 깨달은 것, 적용할 것)'를 쓰게 했다. 책을 무상으로 주는 대신 읽고 나서 스스로 정리해보는 기회를 갖길 바라는 의미였다.

다양한 방식으로 토론을 진행하는데, 1년에 몇 번씩은 저자를 직접 초청해서 강의를 듣기도 했다. 평소에는 10~15분 정도 저자와 책을 간단히 소개하고 저자의 다른 책이나 강연 동영상 등을 살펴보는 방식으로 진행하고 있다. 그다음에는 주제를 정하고 모둠으로 나눠서 토론을 하는데, 주제를 발표하고 서평을 하는 방식이다. 또한 질문지를 뽑아서 1분 스피치를 할 기회를 주고 수고한 직원들에게 선물을 나눠 주기도 했다.

조직 문화에 긍정적인 영향을 끼친 이 토론 덕분에 직원들의 표정이 한결 편안해졌다. 함께 책을 읽고 나누는 과정에서 동지애를 느끼고 공감대를 넓힐 수 있었기에, 그에 따라 병원의 분위기도 좋아지고 서비스의 질도 향상되었다.

나는 조직의 성패는 조직의 문화에 달려 있는 것이나 다름없다는 걸 다시 한번 깨달았다.

신입부터 현장교육이다

이론교육은 오랜 시간을 거쳐 확립된 프로그램을 따르는 것이 바람직하다. 요양병원에는 신입직원들을 대상으로 하는 교육 프로그램이 따로 없다. 우리나라의 요양병원 역사가 얼마 되지 않아서이기도 하고, 병원 특성상 실시간으로 벌어지는 상황이 다양해서이기도 하다.

우리 병원에는 간병인 일을 하면서 간호조무사 학원에 다니던 선생님이 한 분 있었다. 자녀들을 키우고 난 후 여유가 생기자 조무사에 도전한 것이었고, 비록 경력은 없었지만 실습 성적이 좋아서 직원들의 추천으로 입사했다.

선배들의 도움을 받아 차근차근 일을 배워나가고 있을 무렵, 응급 상황이 발생했다. 의료진이 모두 분주하게 움직이는 모습을 보면서 자신도 도움을 주고 싶어 했다. 하지만 무엇을 어떻게 도와야 할지 몰랐는지, 어느 순간 한쪽 구석에 조용히 있었다. 아무래도 응급 상황에서 자신이 나서면 방해될 수도 있다는 생각을 하는 것 같았다. 다행히 상황은 일단락되었다.

나는 그때 신입 직원들이 응급 상황에 대처하는 방법을 배워야 한다는 걸 새삼 느끼게 되었다.

과거에는 이론교육을 중심으로 신입 직원들을 교육했다. 먼저 병원의 철학과 비전을 알려주고, 부서장들이 부서별 소개를 하고 난 다음에 CS 교육을 진행하는 순서였다. 하지만 이러한 이론만으로는 직원들이 현장에서 적극적으로 대처하기 어렵다. 돌발 상황이 있을 때마다 허둥대지 않고 자신의 몫을 다해낼 수 있도록 현장 중심의 교육이 필요한 것이다. 이에 우리는 현장학습 시스템을 도입했다.

"오늘부터 현장 중심으로 신입 직원 교육을 실시하려고 합니다. 긴박한 상황이 생기면 어떻게 행동해야 할지 모르겠다고 하는 직원들이 많거든요. 실제 현장처럼 체험한다면 좀 더 익숙하게 업무를 처리할 수 있지 않을까 해요."

그 뒤로 이론교육과 현장교육을 적절히 병행하게 되었다. CS 교육도 현장 중심으로 진행되도록 하고 직원들이 매뉴얼을 잘 지키고 있는지도 수시로 점검했다. 직원들은 위기 상황이 발생했을 때 어떻게 행동해야 할지 알게 되어 안심할 수 있었고, 환자들에게 직접적인 도움을 주게 되어 기뻐했다.

일반 병원 대부분은 부서 간의 관계가 수직적이다. 나는 우리 요양병원 내부 관계는 수평적이길 원했다. 부서끼리 서로의 업무에 대해 잘 알고 융합해야 일이 더 원활해진다고 생각해서, 직원들이 수평적인 관계에서 서로 소통하기를 바랐다.

나는 타 부서 업무에 대한 이해를 강조하기 시작했다. 그러자 이제까지는 자신의 업무 위주로 일했는데 다른 부서의 업무까지 염두에 두어야 하는 과정에서 직원들이 혼란을 겪었다.

급기야는 극심한 스트레스를 호소하기도 하고 퇴사하는 사람까지 생겼다.

하지만 이론 중심 교육이 체험 중심 교육으로 바뀌자 어떤 상황 속에서는 협력해야 한다는 걸 깨닫고 서로를 이해하며 일하기 시작했다. 그리고 자신들이 앞으로 해야 할 일 또한 더 명백하게 알게 되었다. 그렇게 안정이 되면서 직원들의 인상도 밝아지고 환자 응대도 더 좋아졌다. 이에 서비스 만족도가 높아졌고 안전사고도 줄어드는 긍정적인 효과도 불러낼 수 있었다.

“언제나 강조했듯이 생각만 하는 직원보다는 행동하는 직원이 필요합니다. 함께 행동하는 걸 중요시해야 해요.”

교재 중심이든 영상 중심이든 이론만 교육하는 것은 의미가 없다. 이론을 습득하되, 행동 중심의 현장교육에 소홀해서는 안 된다. 이 또한 요양병원과 환자들을 위한 새로운 방법이다.

지식을 함께 나눠라

_ 지역사회와 함께하는 세미나와 학술 활동

"우리 병원에서 세미나를 하나요?"

평소 인사만 하고 지내던 김 간호사가 내게 와서 물은 걸 보면 이미 직원들 사이에서 온갖 추측이 난무하는 것 같았다. 얼마 전 우리 병원은 '공개 세미나'를 추진하는 것을 결정했고, 아직 구체적인 틀이 나오지 않아 입단속을 당부한 적이 있다. 하지만 소문은 빠르게 퍼져나갔고 그 내용은 꽤 정확했다.

"신입 오리엔테이션 수준이 아니고 외부 강사도 초빙한다고 들었어요. 업무를 하는 데 지장을 주지 않을까 걱정돼요."

김 간호사는 도무지 갈피를 못 잡겠다는 표정으로 물었다. 소식을 들은 직원들이 이렇게 반응하는 것도 어쩌면 당연했다. 솔직히 우리처럼 작은 병원에서 공개 세미나를 하면 어설프게 진행될 거라 예상되었기 때문이다. 전북 지역에서는 전북대병원이나 예수병원 정도의 규모를 갖추고 있어야 제대로 된 세미나를 해낼 수 있는 실정이었다. 만약 우리 병원에서도 세미나를 진행하게 된다면 직원들이 더욱 바빠질 것은 불 보듯 뻔했다.

"조금 바빠지겠지만 너무 걱정하지는 마세요. 우리는 잘할 수 있을 겁니다."

우여곡절 끝에 열린 첫 세미나였다. 다소 우왕좌왕하는 분위기였지만, 세미나 준비와 참여를 처음으로 해본 직원들이 많은 가운데에서도 다들 기대 이상으로 잘해주었다. 우리는 참여자들에게 나눠줬던 설문지를 정리하면서 미흡한 점을 수정, 보완했고 이를 통해 해마다 더 나은 세미나를 준비할 수 있었다. 이 행사는 지역사회에서 유명해져 갔다.

'제4회 효사랑병원 간호부 직무 세미나'가 잡히고 세미나 주제를 정할 때였다.

우리는 앞서 '전국 최초 의료기관 인증 통과'라는 내용으로 컨설팅을 받았고 요양병원용 규정이 없어 중소병원용 규정을 보면서 밤낮없이 씨름했었다.

병원장은 지역사회의 발전을 위해 우리가 준비했던 '의료기관 인증 통과'에 관련된 주제를 선정하자고 했다. 하지만 세미나 주제를 정하기에 앞서 '지역사회의 다른 병원들과 정보를 공유할 것인가'가 관건이었다.

간호부서에서 반대 의견이 나왔다. 지금까지 맨땅에 헤딩하듯이 노력해서 우리만의 정보를 갖게 되었는데, 이러한 노력의 결과를 그들과 공유하는 것은 곤란하다는 의견이었다. 그 생각도 이해는 됐다. 직원들의 기운이 빠질만한 일이었다. 하지만 달리 생각해보면 어떨까 싶었다. 우리가 고생해서 만들었기 때문에 공유해야 하는 건 아닌지 말이다.

병원장인 아내가 나서서 간호사들과 대화를 이어나갔다. 지역의 다른 병원과 정보를 공유하는 일이 우리가 추구하는 비전이 아닌지 생각해보면 좋겠다며 단호하지만 부드럽게 타일렀다.

결국, 직원들과 의견을 합의시킬 수 있었고 '인증제, 한방에 간다' 라는 주제를 선정하게 되었다. 인증제의 개요부터 환자들의 안전 관리, 약물 관리, 감염 관리, 질적 향상을 위한 활동과 사례 등을 정리했다.

"병원장님, 정말 못하겠어요. 너무 떨려요."

"이렇게 많은 사람 앞에 서본 적이 없어요. 다른 사람이 하면 안 될까요?"

직원들의 막연한 두려움과 부담감을 줄여주기 위해 병원장이 팔을 걷어붙이고 나섰다. 세미나를 준비하는 직원들은 우선 병원장 앞에서 중간발표를 한 뒤에 조언에 따라 발표를 보완하게 되었다. 이후에는 병원장이 참여하지 않아도 직원 간의 원활한 의사소통과 피드백이 이루어졌고 세미나의 질이 많이 향상되었다. 우리는 의료기관 평가에서 많이 나오는 질문까지 부록으로 만들어 제공했다.

"사람들이 굉장히 많이 왔네요. 이렇게 자리가 꽉 찰 줄은 미처 몰랐어요. 세미나 내용도 무척 알찬 것 같아요."

플라스틱 의자 세 개를 포개서 나르던 김 간호사의 이마에 땀이 맺혔다. 밝고 환하게 웃는 표정이 나이팅게일 같았다.

"이번에 120명 정도 왔을 겁니다. 다음에는 더 오겠지요. 입소문이 날 테니까 말입니다."

세미나 기획 초기에 미심쩍은 질문을 퍼붓던 김 간호사 앞이라서 나는 어깨에 힘이 잔뜩 들어갔다. 신이 난 것은 김 간호사도 마찬가지였다. 우리 직원들은 최근 QI 간호사 학술대회에서 유명 대학병원들과 견주어 손색없는 실력을 선보인 덕분에 외부 강사로 초청받기도 했다. 소문에 의하면 김 간호사의 이름도 종종 거론되는 것 같았다.

세미나에 대한 소문은 퍼져나갔고 병원 홍보도 저절로 되었다. 게다가 직원들의 적극성과 자긍심도 높아졌음을 느낄 수 있었다. 우리는 매번 참석자들에게 좋은 인상을 남기려고 애썼고 사람들은 자연스럽게 우리 병원의 세미나를 찾아왔다. 현재는 성공적으로 정착되어 일 년에 한 번씩 각 파트별(간호부, QI

의료질 향상, 행정관리, 재활치료 등)로 진행되고 있다. 거의 대형병원에서만 이루어지던 기존의 세미나를 점점 우리 병원이 주도하게 된 것이다.

어느 병원이든 모두 지역사회 안에 속해있다. 그리고 지역사회에서 인정받는다면 찾는 환자와 가족에게도 좋은 인상을 남길 수 있게 된다. 얼마가 될지 모르는 긴 간병을 앞두고, 좋은 인상을 갖고 있는 병원을 찾게 되는 건 당연한 일 일지도 모른다.

지식과 배움을 널리 알리는 것은 지역사회를 건강하게 만드는 일이다. 우리 병원의 세미나 및 다양한 학술 활동은 나눔을 실천하는 하나의 방법이다.

효사랑 독수리 사관학교

_ 핵심 인재를 양성하라

나는 기업뿐만 아니라 병원의 경영 마인드도 중요하다고 생각한다. 이미 병원에는 분야별로 교육과정이 있지만 직원들이 경영자의 입장에서 일할 수 있도록 2013년에 자체적으로 미니 MBA 강좌를 신설했고, 의료경영 전문가인 최휴련 교수를 초빙해 월 1회 세 시간씩 교육을 진행했다.

'날지 못하는 오리보다 높이 나는 독수리가 되어 비전을 세우고 앞을 내다보라.'

우리 병원의 자체 MBA 이름을 '효사랑 독수리 사관학교'로 정했다. 직원들이 모두 자신을 경영자라고 생각하고 스스로 일을 찾아 해결하는 자세를 가지라는 의미였다.

병원의 흥망성쇠는 중추 역할을 담당하는 경영혁신팀 및 중간 관리자의 역량에 달려 있다. 2014년 2월부터는 공주대 보건행정학과 김영배 교수님을 모시고 2기 강좌를 진행했다. 1기와 2기로 이어지는 수업을 듣고 경영자 마인드를 습관화하도록 독려했다.

경영 원리와 이론을 학문적으로만 접근하면 효과가 작다. 직원들의 성향과 특성을 고려하여 병원 현상을 접목한 MBA 수업을 구성하는 게 가장 좋다.

1기를 마치고 2기에 접어들자 차츰 경영인의 자세로 업무를 처리하는 게 눈에 들어왔다. 맡은 일만 하는 게 아니라 창의적으로 생각하고, 스스로 할 수 있는 부분을 찾아 나선 것이다.

2015년부터는 MBA 참가 대상을 확대했다. 처음에는 부장급 이상만 참가했지만 이제는 과장, 계장까지 수업을 듣는다. 그리고 일반 직원들과 간호부서 직원들도 지원하면 들을 수 있도록 바꾸었다. 세 시간 강의를 위해서 들인 비용은 꽤 컸다. 하지만 병원 내 다양한 직원들이 경영 마인드를 갖게 되니 투자한 비용보다 훨씬 큰 가치를 얻을 수 있었다. 우리는 MBA를 이수해야 승진이 가능하게 했다. 병원 사업이 더 커지면 핵심 관리자로 활용하려는 생각이었다.

"갑자기 경영을 배우려니까 처음에는 스트레스가 이만저만 큰 게 아니었어요. 하지만 이제 제 수준이 몇 단계 향상된 것을 느낍니다."

간호부장이 웃으면서 말했다. 경영 업무는 초보자였지만, MBA를 통해 능력이 더 발전했음을 느낀 것이다. MBA는 부서별 이기주의를 벗어나 병원 전체의 발전을 위해 좀 더 포괄적인, 통합적 판단력을 기를 수 있는 기회다. 또 효사랑의 미션처럼, 직원 개인의 성장이 우선되어야 이를 토대로 더 큰 효과를 낼 수 있다.

핵심 인재가 되는 것은 스스로 경쟁력을 갖추게 되고 자신감을 얻게 되는 것과 같다. 자신감이 넘치는 직원은 환자와 그의 가족에게까지 활력을 전달하게 된다. 요양병원에는 활력이 필요하고, 긴병에 효자가 되기 위해서도 마찬가지다.

자가진단 병원

병원 규모가 커지다 보니 의료경영에 관한 컨설팅이 필요한 시점이 왔다. 새로운 일이 생길 경우 꼼꼼한 파악과 이전보다 더 나은 전문성이 뒤따라야 했다. 조언을 받는다면 경영이 더 수월해질 수 있다.

"다른 컨설팅 회사에 가더라도 비용은 비슷할 겁니다. 컨설팅 내용도 마찬가지고요."

의료경영 컨설팅 회사에 견적을 의뢰해보니 수천만 원대가 나왔다. 부담스러운 비용만이 문제가 아니었다. 병원은 저마다 다른 경영 철학과 미션을 가지고 있다. 그런데 유명한 컨설팅 회사라 할지라도 우리 병원을 완벽하게 파악하기에는 어려운 점이 있을 것이고, 현장 경험 역시 부족하다고 판단되었다. 한마디로, 이론은 존재하나 맞춤형 해답을 제시해주지는 못할 거라는 생각이었다. 다른 사람에게 일을 맡기는 것이 아닌, 다른 돌파구가 필요했다.

"우리 병원 스스로 경쟁력을 갖추는 것이 정답입니다. 간부들이 의료 컨설팅을 할 수 있을 만큼 역량을 끌어 올리면 더욱 효율적일 것입니다."

나는 우리 병원 내부에서 해답을 찾을 수 있기를 바랐다. 그래서 우선 '병원행정관리사' 교육과정을 신설하게 되었다. 이에 행정직 간부들은 2010년에 병원행정관리사 자격증을 100% 취득할 수 있었다. 이렇게 말하면 누구나 합격이 가능한 시험처럼 보일지도 모르지만, 실제로는 엄청난 투자와 직원들 개인의 피나는 노력이 필요했다.

하지만 병원행정관리사 자격증만으로는 우리 병원의 경영을 탄탄하게 이끌어 나가기에 부족하다는 생각이 들었다. 2013년이 되어서는 두 번째 교육 단계를 만들어서 '병원경영진단사' 자격증을 취득하게 했다. 이 단계에 이르러서는 더 많은 비용과 시간이 들어갔다.

병원행정관리자협회에서 시행하는 병원경영진단사 과정은 시험 난이도가 상당히 높았다. 서울에서만 실시되는 병원행정 최고위과정인 만큼, 병원 경영의 문제점을 지적할 정도의 역량을 갖추고 있는지를 평가했다.

"병원장님, 너무 부담스러운 과정 아닐까요? 이 정도의 비용과 시간을 투자해야 병원을 운영할 수 있나 싶어요."

간부들 사이에서도 이런 의문이 제기되었다. 교육 내용도 대부분 상급 종합병원에 필요한 과정이었고 수료하거나 시험을 통과하는 것도 보통 어려운 게 아니었다. 하지만 이대로 그만둘 수는 없었다. 우리 병원의 경영 환경을 개선하기 위해, 또 본인의 역량을 강화하기 위해서라도 열심히 노력해달라고 간부들에게 부탁했다.

매주 2회씩 7개월 동안 다른 병원 직원들과 함께 외부 강사를 초빙해서 공부했다. 행정직 간부들도 내 취지를 이해하고 공부에 더욱 매진했다. 그리고 직원들의 노력 덕분에 어려운 과정 속에서도 13명의 합격자를 배출할 수 있었다. 이후로 병원 법률적 의료분쟁 및 의료법 전문가 과정도 진행했으며 노무 전문 과정 등 직무 전문 교육에도 중점을 두었다.

나는 병원 직원들이 단순히 의료 서비스를 제공하는 인력에 그치지 않았으면 한다. 내가 직원 교육을 중요하게 생각하는 이유가 바로 여기에 있다. 병원이 발전하고, 환경이 열악해지지 않으려면 직원들이 병원 경영을 공부해서 전문성을 갖춰야 한다. 누구보다 우리 병원을 잘 이해하고 있는 직원들의 노력이 필요한 것이다.

공부의 필요성을 실감하게 되는 건 그것이 정말로 필요하기 때문이다. 고용 창출과 직원 복지, 역량 향상에 힘쓰는 것은 우리 병원의 대표적인 철학이다. 이곳에서 받은 교육의 효과가 우리 병원으로 돌아오면 좋겠지만, 더 넓은 곳에서 일할 수 있도록 역량을 키워주는 것 또한 뿌듯한 일이라고 생각한다.

행동하는 서비스

매일 아침 9시, 근무가 시작되면 병원 스피커에서는 음악이 흘러나온다. 그리고 각 병동과 부서의 직원들은 90도로 인사하고 병원의 미션을 제창한다. 마치 백화점 개장 시간에 맞춰 일렬로 선 채 고객을 맞이하는 것과 비슷한 풍경이다.

나는 직원들이 인사를 함으로써 환자들과 교감이 오갈 수 있고, 하루의 시작을 만드는 아주 중요한 행동이라고 생각한다. 인사는 서비스의 기본이며, 허투루 지나치면 안 되는 부분임이 틀림없다.

"우리 어머니의 담당 간호사를 다른 분으로 바꿔 주시면 좋겠어요. 힘들겠지만 꼭 부탁드립니다."

2013년까지는 환자의 담당 간호사를 바꾸어 달라는 건의가 연간 수십 차례에 달했었다. 이 문제의 해결을 위해 6개월이 넘도록 직원들과 머리를 맞대고 서비스 업무 매뉴얼을 만들었지만 별다른 도움이 되지 못했다. 같은 서비스 매뉴얼을 보고도 직원들은 각자 저마다의 방법으로 환자들을 대했기 때문이다.

새로운 교육 방법이 필요했다. 그리고 그해 말 '역할극을 활용한 서비스 행동화 교육'을 실시할 수 있었다. 직원들이 이 교육에 매주 30분씩 참여하도록 했고, 각자 환자나 직원이라는 역할을 맡아 설정된 상황 안에서 연극을 하듯이 진행했다. 앞서 나왔던 '현장교육'의 연장선이다.

환자나 보호자의 불만이나 돌발 상황에 대처하기 위해 효사랑 CS 매뉴얼을 만들었었다. 보통은 경력이 많으면 환자들을 잘 응대할 것이라 생각할 테지만, 서비스를 글로만 배우게 되면 행동하는 건 어려워한다. 심지어 10년 전에 했던 응대를 아직도 그대로 답습하는 사례도 있다.

"밥 안 먹어!"
"이거 드셔야 산책하실 수 있어요. 얼른 드세요."

병원에서 오래 일한 경력이 있어 기대를 많이 했던 직원이 있었다. 그런데 그가 10년 전에는 통했을지도 모를, 진부한 말로 응대하는 모습을 봤다. 지금은 그런 틀에 박힌 말이 상황을 해결하는 데 도움이 되지 않는다.

표준화된 서비스 제공을 위해서는 경력과 상관없이 모든 직원을 대상으로 한 행동화 교육이 필요한 법이다. 낡고 좋지 않은 방식은 버리고, 변화를 받아들여 서비스의 질을 점차 좋은 쪽으로 바꿔나가야 한다.

"먹기 싫다니까! 맛도 없는 걸 뭐하려고 가져와?"

밥맛이 없다면서 식사를 거부하는 환자 역할을 하던 직원이 식판을 내던졌다. 여기에 대응하는 다른 직원은 예상 밖의 행동을 보고 고민에 빠진 듯했다. 실제로 일어날 수 있는 일이지만 연습이기 때문에 긴장하거나 당황할 만한 상황은 아니다. 다른 직원들은 드라마를 보듯이 흥미진진한 표정으로 구경했다.

상황극을 해서 직원들에게도 큰 도움이 되는 점은 실제로 이런 상황이 벌어질 때 이미 겪어본 것처럼 대응할 수 있다는 것이다.

"처음에는 어색했는데, 하다 보니 몰입이 되네요."

돌발 행동에 잘 대처한 직원은 행동화 교육 경진대회에서 1등을 하기도 했다. 어색한 탓에 내키지 않아 했지만, 반복 교육을 받으면서 대응을 잘하게 된 것이다. 그는 선물을 받은 것보다도 자신이 적절하게 대응할 수 있다는 데에 더 기뻐했다. 열심히 하면 좋은 성과가 따라오기 마련이었다.

또 2014년에는 '이달의 미소 왕' 제도를 도입했다. 우리 병원에서는 매달 서비스 행동화 전담 직원을 뽑아서 매일 30분간 업무 도중에 부서별로 교육을 받게 한다. 그리고 가장 교육을 잘 받는 직원을 '미소 왕'으로 뽑고 커피숍 음료 교환권을 선물한다.

"이달의 미소 왕으로 뽑혔습니다. 축하드립니다. 웃는 표정이 정말로 예뻐요."

칭찬은 고래도 춤추게 한다는 말이 있다. 대단한 선물을 주는 건 아니지만 이런 보상으로 인해 기분도 좋아지고, 자연스럽게 자신을 돌아보고 발전하게 만든다. 미소가 그려진 음료 교환권을 받은 직원들은 그보다 환한 웃음을 보였다. 이런 과정을 거치면서 업무 성과도 함께 높아지고, 처음에는 의식적으로 웃어 보이던 직원들도 자연스럽게 미소를 띠게 되었다.

일단 환자가 화를 내면, 직원은 지체하지 않고 사과를 해야 한다. 병원 측의 실수 여부를 따지는 건 나중이다. 그 문제 상황을 정확하게 판단하는 것 또한 중요하다.

예를 들어 식사 도중 문제가 발생한다면, 환자가 식판이나 식기의 청결 문제를 따지는 것인지 아니면 단순하게 화를 내는 것인지부터 파악해야 한다. 현장에 있던 직원은 병동장에게 보고하고 때에 따라 영양과장, 행복센터 실장, 병원장까지 환자의 화를 풀기 위해 총동원될 수 있다.

특히 고객행복센터는 그야말로 움직이는 행복센터다. 우리의 고객인 환자와 가족들이 만족스러울 수 있도록 서비스를 실천한다.

최고의 서비스는 '문제가 발생하지 않는 것'이다. 이미 발생한 문제에 대해서는 변명 없이 즉각적이고 속 시원한 대처가 필요하다. 우리 병원의 직원들은 최고의 서비스가 온몸에 체화되도록 노력하고, 실천으로 이어가고 있다. 항상 웃는 얼굴과 즐거운 마음으로 환자들을 대하는 것이야말로 우리 병원의 자연스러운 문화다.

고객행복센터에서 행복을 드립니다

대전에 살고 있으면서, 1주일에 한 번씩 병원으로 오는 한 환자의 가족이 있다. 두 아이를 키우고 있는 이 딸은 직장에 다니면서도 어머니를 보기 위해 꼬박꼬박 병원에 들르고 있었다. 많이 벅찬 일이었지만, 젊은 나이에 형제들을 홀로 키워주신 엄마 생각에 오지 않을 수 없다고 말했다. 이 환자는 치매와 전신 마비로 인해 의사소통도 되지 않고 움직일 수도 없기에 딸은 엄마의 얼굴색과 표정으로 기분과 상태를 살피고는 했다.

그런데 어느 날부터인가 환자의 얼굴에서 불편한 기색을 엿보게 됐다고 했다. 알아보니 엄마를 도와주던 간병사가 교체되어, 후속자의 응대 미숙 때문이라는 걸 알게 됐다. 딸은 결국 고객행복센터에 들러서 해결 방법이 없는지 물었다.

이에 따라 해당 병동에서는 바로 확인에 들어갔고, 환자의 생활 상태, 불편한 점들을 바로 파악하여 사과했다. 진심 어린 사과 이후에는 접수된 내용을 토대로 환자를 살펴보고, 불만 사항이 해결될 때까지 별도로 관리했다.

이후 어머니의 상태가 나아진 것을 확인한 딸은 고객행복센터에 다시 들렀다. 전보다 훨씬 환해진 얼굴로 직원들에게 고마움을 표했다.

"민원 때문에 어머니가 불이익을 당하지 않을까 걱정했어요. 그런데 용기를 내서 상담을 받은 게 정말 잘한 일이었네요."

보호자들이 믿을 수 있는 병원이 되기 위해서는, 이처럼 환자와 병원 사이에 매개체 역할이 있어야 한다. 고객센터가 있는 병원은 흔치 않다. 우리는 고객행복센터를 운영함으로써 병원과 환자, 직원 사이가 더욱 돈독해진다고 생각한다.

고객행복센터의 권미희 실장은 각 병실을 수시로 둘러보며 환자와 가족들이 불편한 것은 없는지를 묻고 행복센터의 전화번호를 알려서 언제든지 전화 달라고 안내한다. 환자의 만족을 위한 행복센터의 발걸음은 언제나 분주하다.

우리 병원은 입·퇴원이 잦은 병원이 아니다. 어르신들이 생활하는 공간이기 때문에 최대한 집에서의 생활 습관이 많이 이어질 수 있도록 노력한다. 병실은 여러 사람이 함께 쓰기 때문에 간혹 어르신들끼리 갈등이 생기기도 한다. 고객행복센터는 이러한 경우에도 문제의 요지를 파악하고 병동을 옮겨보기도 하고, 정말 해결이 어려울 때는 다른 시설로 안내하는 방법을 쓴다. 물론 이와 같은 일이 흔하지도 않고, 결정을 내리기도 쉽지 않지만, '해결해야 한다'라는 원칙을 가지고 구체적인 방안을 제시한다.

또한 우리 병원의 긍정적인 시스템 중 하나는 '소통 구조'가 원활히 운영된다는 것이다. 고객센터에 어떤 사항이 접수되면, 회의 때 간부들에게도 공유될 수 있도록 한다. 매일 아침 진행되는 병원 운영 회의를 통해 병원장, 본부장, 원무부장, 간호부장, 총무부장, 사회사업실장, 고객행복센터실장 등 모두의 입장과 의견을 들어보고 머리를 맞대서 일을 해결한다.

언젠가, 간호사들이 애먹고 있는 환자가 있어서 내가 직접 그 환자에게 찾아간 적이 있다. 신경과에서 진단을 받은 어르신이었는데 날카로운 물건을 지니고 있을 정도로 신경이 곤두서있는 상태였다. 그뿐이면 모르겠지만, 방에 있는 다른 사람들도 불안에 떨게 할 정도였고 간호사들도 어찌하기 힘든 상태였다. 몇 번이고 상담을 거듭했지만 다른 사람들을 힘들게 하는 점은 나아지기 어려웠었다.

결국 논의 끝에 어르신이 전문적으로 정신과적인 치료를 받을 수 있도록 다른 병원으로 안내했다. 이 어르신을 대하면서 간호사들이 얼마나 힘들었을지 이해가 되었기에 마음이 먹먹했고, 또한 어르신을 더 모시지 못했다는 사실이 더 마음 아팠다. 최선의 선택이었지만, 이 일을 겪으면서 여러 가지 감정이 마음에 많이 남았다.

우리 병원에 한 가지 특이한 점이 있다면 직원들의 불편 사항도 고객센터에 접수된다는 점이다. 간혹 신경이 예민한 환자가 간호사에게 입에 담지 못할 막말을 퍼부을 때가 있다. 앞뒤 상황을 모두 따져보아도 간호사에게 아무런 잘못이 없는 상태에서 이런 일이 발생하면, 간호사의 의욕도 떨어질 뿐만아니라 마음의 상처까지 입게 된다.

이 부분도 내가 신경 써야 할 부분이라고 생각한다. 접수된 상황을 파악해보고 전적으로 환자의 잘못일 시, 그 환자에게 가서 간호사에게 사과하도록 요청한다. 환자가 우리의 가족이듯 일하고 있는 간호사 또한 가족이다. 직원 권리 또한 중요하기 때문이다.

병원에 있어 환자들과 보호자들이 최우선이지만, 나에게는 더 많은 VIP가 있다. 그건 바로 직원들이라고 할 수 있다. 그리고 그 직원들의 VIP는 환자들이다.

한 사람 한 사람의 입장을 생각하되, 모두가 편안하고 행복한 병원이 되는 길에는 이러한 균형이 필요하다. 직원이 만족해야 환자도 만족할 수 있다. 효사랑병원이 가지고 있는 브랜드 파워와 그에 대한 자부심은 여기서 나온다.

part 5 가족이 안심하는 병원

Part 5

가족이 안심하는 병원

밥이 보약이다

"어르신들이 식사하는 데 서운함이나 부족함이 없도록 늘 신경 써주세요."

식사를 준비하는 직원에게 내가 항상 당부하는 말이다. 기력이 없는 어르신에게는 그야말로 '밥이 보약'이고, 식사로 인해 감정이 상해서는 안 되기 때문이다. 나는 화를 잘 내는 편이 아니지만, 직원들이나 외부 손님들에게 식사를 잘 대접하지 못하는 일이 생기면 따끔하게 지적한다.

"음식 맛이 정말 훌륭해요. 식사가 좋으면 대접받는 기분이 들어요. 밖에 나가서 먹지 않아도 되겠는데요?"

손님들은 식사를 하고 매우 흡족해 하며 칭찬을 아끼지 않는다. 직원들 역시 약속이 있을 때 지인들과 '효사랑 레스토랑'을 자주 이용한다. 3,000원의 행복이라고나 할까? 엘리베이터 게시판에서 가장 인기 있는 게시물은 단연 식단표다.

식재료 역시 좋은 것을 쓰도록 항상 신경 쓴다. 품질이 좋은 쌀을 김제에서 직접 사 오고, 식자재는 풀무원과 아워홈을 이용하며, 육류는 해썹(HACCP)에서 인정받은 목우촌 제품을 사용한다. 비빔밥, 칼국수, 짜장면 등 다양하게 식단을 짜고, 어르신들이 드시고 싶은 음식을 선택할 수 있게 했다.

병원 식단은 다양한 형태로 운영되는데 환자들은 일반식, 치료식(당뇨, 혈압, 신장식), 갈은식(흰죽과 반찬을 믹서에 갈아서 제공), 다진식(잘게 씹히는 맛, 이가 부실한 환자들에게 제공) 중 하나를 선택할 수 있다. 아프면 입맛도 없어진다는 것은 누구나 아는 사실이다. 그래서 어르신들을 위한 죽도 정성을 듬뿍 담아서 다양하게 준비한다.

우리 병원의 자랑은 저염 식단이 필요한 혈압, 당뇨, 신장 투석 환자들을 위해 제공하는 '치료식'이다. 사실 요양병원에서 치료식까지 제공하는 것은 참 어려운 일이다. 영양사가 많이 필요할 수밖에 없다. 그중에서도 제일 어려운 것은 엘튜브를 쓰는 환자가 음식물을 최대한 잘 섭취할 수 있게 기호를 맞추는 일이다. 우리 병원은 치료식에 일일이 선식까지 섞고 농도를 맞추면서 환자들을 최대한 배려한다. 이러한 과정에서는 영양사의 역할이 중요하기 때문에 이들의 수고가 크다.

영양사는 "식단을 세분화해서 제공하는 건 정말 힘든 작업인 데다, 환자들과 직원들까지 다 합해서 한 끼에 800명분을 차질 없이 만들어내는 것도 보통 일이 아니에요. 특히 시골에서 올라오신 분들은 '고봉밥', '김치 많이', '국 많이' 등 개인적 요구가 많아서 영양사들이 곤란할 때가 많아요"고 하는 등 나름대로 고충이 있다.

우리는 되도록 어르신들 취향을 반영하려고 노력한다. 영양과장은 만족도 조사 외에도 매일 병실을 다니며 환자에게 불편사항을 물어보고 살핀다. 만약 너무 싱겁다고 하면 간장이나 양념을 함께 드리지만, 환자들이 주로 짜고 매운 맛을 원하기 때문에 건강을 고려해서 줄일 것을 조언하기도 한다. 또 환자들의 원활한 식사를 도와 드리기 위해 직원들이 밥을 먹기 전에 10분간 환자의 식사를 수발하게 한다.

이밖에 다른 활동으로는 '어르신들을 위한 요리 교실'을 운영하는 것이다. 본인이 건강했을 때처럼 직접 다듬고 준비해서 요리하는 것은 아니지만 추석이 되면 자식들을 위해 만들었던 송편도 빚어 보고, 봄이면 쑥을 캐서 해먹던 쑥개떡도 쪄보고, 평소에는 잘 드시지 않던 머핀 만들기도 시도해본다. 입맛보다는 추억이라는 선물을 드리는 것이다.

밥으로 인해 육체적인 활력을 얻는 것도 좋지만, 옛 추억을 떠올리면서 정신적인 기쁨을 얻는 것도 중요한 활동이다.

"밥이 보약이고 효도가 제일 좋은 치료제다"라는 말도 떠오른다. 어르신들에게 이러한 활력소들을 제공함과 동시에 맛있는 밥을 지어 드리면 다른 어떠한 약보다 더 좋은 보약이 될 수 있다.

체계적인 재활치료 시스템

요양병원의 나쁜 이미지 중 하나는 재활을 해도 좋아지지 않는다는 인식이다. 어르신들은 뼈가 약하다 보니 재활치료를 하다가 2차 손상이 올 가능성을 배제할 수는 없다. 하지만 계속 병상에만 누워 있는 생활보다 앉아 있거나 보조를 해서라도 걸으면서 몸 전체를 움직여 주는 것이 훨씬 좋다. 관절이 굳어지는 것도 막을 수 있고 입맛도 더 돋워질 수 있으니 운동을 강조할 수밖에 없다.

우리 병원은 1대1로 맞춤 치료사를 정해서 재활훈련을 하는 등 재활 시스템을 잘 갖춰 놓았다. 또한 어깨, 손가락을 반복적으로 움직이는 작업 치료와 여럿이서 하는 그룹 치료를 병행한다. 게임을 하듯 입의 움직임과 삼키는 연습을 시키는 연하장애 치료도 함께하는데, 정해진 시간에만 하는 게 아니라 필요에 따라 보행 보조 장치(워커, 워킹레일)를 활용해서 추가로 치료 효과를 내기도 한다.

재활치료에서는 물리치료사나 작업치료사의 역량이 무척 중요하다. 우리 요양병원이 중풍 치료를 잘하는 것으로 유명해진 건 재활치료 인력의 경쟁력 덕분이다. 우리 병원에서는 중추신경계 전문 재활치료 자격 이수 비용을 100% 보조한다. 그래서 직원들이 전문 재활치료 자격을 획득하고 더 신경을 쏟을 수 있다. 더불어 보바스, NDT(신경발달학적 치료), PNF(고유감각신경근 촉진 치료) 등의 전문 재활치료 자격을 이수하도록 한다. 재활치료의 핵심인 치료 기술을 지속적으로 개발하기 위해 퇴근 후에 매일 30분가량 재활 케이스 스터디(환자의 상황)도 진행한다. 그리고 자체 평가를 해서 개인 치료 스킬을 높이고 책임지게 하며, 스터디를 할 때 필요한 책이나 간식비 등은 병원에서 지원한다.

혼자 움직이는 게 불가능할 거라고 생각했던 분이 계셨다. 치료를 계속하던 어느 날, 그 어르신이 보호기를 차고 스스로 걷게 된 걸 보고 치료사들은 입을 다물지 못했다. 물론 단기간에 기적처럼 일어난 일은 아니다. 본인도 전력을 다했고, 매일 치료에 매진했기에 가능한 일이었다. 재활치료사들은 이렇게 서서히 회복하는 환자들을 보고 "기적 같다"고 말하기도 한다. 그만큼 힘든 시기를 지나왔기에 더 큰 보람을 느끼는 것이다.

보통 어느 상태에서 1년 정도 지나면 더 이상 증상이 호전되지 않는다는 게 통설이지만, 이런 사례를 보면 사람의 잠재력이 무한하다는 생각마저 든다. 중풍을 앓은 지 10년이 넘어 기억력이 떨어지고 팔다리가 마비된 환자들도 장기간 치료를 통해 정말 기적적으로 좋아지는 경우도 보았다.

특히 기억나는 환자가 있다. 우리 병원에는 어르신들이 많지만, 30대 후반의 한 환자가 입원한 적이 있었다. 이 환자는 고혈압 환자로 뇌경색 후유증으로 인해 우측 편마비가 온 상태였고, 몸무게가 150킬로그램에 육박해 걷기도 힘들었다. 휠체어를 탈 수도 없었기에 운동이 시급했다. 치료사는 이 환자가 혼자서 움직일 수 있도록 돕고자 했다.

물리치료를 시작하기 전에 환자에게 운동계획을 설명하는데, 환자는 의지도 약했고 필요 없다는 말만 반복했다. 그러나 물리치료사는 포기하지 않았다. 우선 상담을 중심으로 환자의 얘기를 경청해주고 운동의 중요성을 설명하며 재활치료를 시작했다.

그 첫 번째 치료는 고개를 들어 복근을 촉진시키면서 혼자 일어나는 운동이었다. 몸집이 큰 환자에게 가장 힘든 일 중 하나는 누워있거나 앉아 있는 상태에서 일어나는 것이다. 누군가에게는 간단한 움직임일지는 몰라도, 몸무게가 많이 나가는 환자는 균형 잡기가 어려워 낙상 위험도가 높다.

침대에서 일어나 옆으로 걷기부터 시작해서 지팡이 보행을 이어나갔고 두 명의 치료사가 함께 환자의 뒤에서 따라갔다. 결국, 환자는 한 걸음 두 걸음씩 보행을 시작하면서부터 치료사를 신뢰하게 되었다. 나중에 환자가 말하기를, 그때서야 왜 이 치료를 해야 하는지 이해할 수 있었다고 한다.

현재 그 환자는 40킬로그램 이상 감량했고 지팡이 독립보행을 통해 병실에서의 일상생활이 가능해졌다. 또 병원 내의 행사나 활동에도 참여하고, 사회에 복귀하기 위한 준비도 함께 하고 있다.

젊은 환자들의 치료를 지켜보고 있으면 대개 어르신들보다 정신적으로 힘들어하는 것을 알 수 있다. 아직 젊은 나이인데 장기 입원을 해야 할 정도로 아프다는 것, 그리고 정상적인 생활이 불가능하다는 현실을 받아들이기 더 어려워하기 때문이다.

치료사가 치료를 하는 것도 중요하지만 환자와의 대화 또한 필수적인 과정이다. 대화를 통해 동기부여를 함으로써 치료의 결과가 달라질 수 있음을 명심해야 한다.

가족이 안심하는 병원

"요양병원은 노년기에 생기는 병을 최대한 자연스럽게 치료하는 곳입니다. 집보다 더 편안하게 쉴 수 있는 공간이니 안심하고 부모님을 모셔도 될 겁니다."

환자와 그의 가족을 안심시키는 일은 매우 중요하다. 환자들은 병원에 입원하면 가족들과 떨어져서 지내게 되고 낯선 환경 때문에 마치 유치원에 처음 온 아이처럼 불안해한다. 가족들은 환자를 위해서라도, 병원에 입원했다는 사실을 필요 이상으로 강조하지 않는 게 좋다. 대부분 환자들은 아직 자신이 요양병원에 갈 시기가 아니라고 느끼기 때문이다.

"애비야, 여기가 어디냐? 나 집에 돌아갈란다!"

어르신들이 처음으로 병원에 오면 막무가내로 집에 보내달라고 말하는 경우가 많다. 가족들이 방문할 때마다 어린아이처럼 떼쓰는 일도 적지 않다. 그러면 가족들은 당황한 기색이 역력해진다.

"이렇게 싫어하시는데 괜찮을까요? 마음이 무겁습니다."

"걱정하지 않으셔도 됩니다. 초반에 적응 기간은 필요한 법이에요. 이 기간을 거치고 나면 오히려 병원이 더 편하다고 하실 겁니다."

이때 우리의 역할은 가족들이 걱정하지 않도록 충분한 설명을 해주고, 어르신들을 안정시키는 것이다. 요양병원이 다른 곳이 아니라, 어르신들의 생활이 지속되는 공간이라는 생각이 들도록 도와야 한다. 대개 1~2주가 지나면 병원 생활에 적응하는 어르신들의 모습을 볼 수 있는데, 가족에게 전화를 걸어 그 모습들을 이야기해주는 게 좋다. 또한 어르신들과 상담을 진행하고 이 내용을 각 부서와 공유해서 심리 상태나 상황을 파악하는 일도 계속해나갔다. 무엇보다 어르신들이 외로움을 느끼지 않고 편안하게 지낼 수 있도록 신경 쓰는 것이다.

또한 각종 행사와 프로그램을 다채롭게 준비해 어르신들이 병원 내에서 쉽게 참여할 수 있도록 했다. 특히 어르신들의 생신을 축하해드리는 이벤트는 빠뜨리지 않고 진행하고 있는데 축하를 받은 어르신들은 진심으로 기뻐하신다. 이 이벤트는 다음 해에도 어르신의 생신을 축하할 수 있기를 바라는 자리이기도 하다.

"난 이제 집보다 병원이 더 편해. 우리 이웃 할머니도 몸이 불편한데 여기로 오라고 해야겠어. 이런 병원이 없었으면 우리가 어디에서 이렇게 마음 편하게 지낼 수가 있겠어."

명절이면 가족들이 환자를 모시고 집으로 갈 때가 있다. 그때 오히려 병원이 편하다면서 돌아가겠다고 말하는 어르신도 있다. 정말 내 집처럼 지내다 보면 집보다 더 편안해지는 것이 요양병원의 장점인 것이다.

이러한 점 때문인지 우리 병원의 열성 팬(?)도 생겼다. 2006년 10월부터 입원하신 80세 어르신 한 분이 있다. 어르신은 인근에 있던 종합병원에서 한 달간 치료한 적이 있었는데, 의식이 깨어나면서부터 우리 요양병원에 데려다 달라고 하셨다고 한다. 의료진 사이에서 '효사랑 할머니'로 소문이 날 정도였다. 효사랑 할머니는 지금도 재활치료를 열심히 하면서 건강을 챙기고 있다. 우리 병원을 사랑하는 어르신들이 생긴다는 사실에 마음이 따뜻해진다.

보여지는 서비스, 행동하는 서비스, 느껴지는 서비스

우리 병원에는 3대 복지 프로그램이 있다. 바로 '즐거움 빵빵', '에너지 빵빵', '행복 빵빵'이다. 무엇보다 어르신들의 '행복'이 중요하다고 생각해서 이러한 이름을 짓게 되었다. 세 개 모두 다양한 내용으로 구성된 우리 병원의 간판 프로그램이다.

'에너지 빵빵' 프로그램에서는 실버체육대회를 연다. 이때는 어르신들뿐만 아니라 각 병동 간호사들도 응원하면서 함께 시간을 보낸다. 실버체육대회는 편마비 환자나 휠체어에 앉아 있는 환자도 참여할수 있도록 맞춤형 형태로 기획한다. 이외에도 트로트댄스교실, 요가교실, 건강체조교실 등이 있다

'행복 빵빵'에서는 봄과 가을이면 나들이를 간다. 날씨 좋은 날, 어르신들이 평소에 먹고 싶었던 음식을 밖으로 가져가

서 경치와 함께 즐긴다. 기분 전환이 된다며 어르신들이 참 좋아하신다. 또 요리 프로그램도 마련되어 있다. 쑥개떡, 달고나와 머핀 만들기, 전 부치기 등을 하는데, 직접 재료를 다듬고 음식을 만들면서 재미도 찾고 먹는 즐거움까지 느낄 수 있는 시간이다. 요리를 할 때는 학생 봉사자들이 함께하기도 한다.

"요양병원에 손자 손녀들이 이렇게 많이 병문안 오나요?"

잘 모르는 사람들은 직원들에게 종종 이런 질문을 한다. 주말이면 여러 명의 학생 봉사자들이 찾아오고, 어르신들과 산책을 하거나 말벗이 되어준다.

"애들이 오니까 참 좋아. 손주들 같아서 마음도 더 가고."

"저는 어릴 때부터 할머니, 할아버지 손에 자라서 그런지 여기 있으면 왠지 마음이 편해지는 것 같아요."

손주들 같은 학생 봉사자들과 교감할 수 있어서인지 어르신들 호응이 가장 좋기도 하다. 또한 5월에는 효도 잔치를 연다. 그밖에 천주교, 기독교 등 종교 활동도 있고 미술 치료와 원예치료 프로그램도 운영한다.

마지막으로 '즐거움 빵빵'은 노래 교실과 매월 정기 공연,

달콤한 효사랑 영화관(영화 상영 프로그램), 1년에 한 번 열리는 '가족노래자랑' 등으로 이루어진다. 공연만 보여드리는 게 아니라 영화 상영을 할 때 기계를 이용해 팝콘을 만들어 드린다.

이 외에도 다양한 서비스가 있는데, 전부 환자들의 만족도가 높다.

우리 병원에는 할머니들이 많다 보니 미용 관리에도 신경을 쓴다. 주말마다 손톱을 관리할 수 있도록 준비하고 있으며 팩이나 화장품 기초 세트도 종류별로 비치해둔다.

"할머니, 이렇게 꾸미니까 한 30년은 젊어지신 것 같은데요? 정말 고우세요."

"내가 봐도 예쁘네. 고마워요, 고마워."

때로는 메이크업을 할 수 있는 도구를 마련해놓기도 하는데, 1, 2병원에서는 봉사자를 섭외하고 3병원에는 미용 경력자인 직원이 있어서 직접 봉사를 한다.

5월에는 영정 사진을 찍어 드린다. 특히나 보호자들이 고마워하는 일이다. 영정 사진을 찍는 것을 꺼리는 환자나 보호자도 있다. 하지만 우리는 더 건강하게 오래 사시라는 의미로 진행하고 있는 일이라 '장수 사진'이라고 부른다. 사진을 찍을 때는 메이크업 전문가를 부르고, 여러 가지 고운 한복을 준비해서 촬영을 한다. 그리고 포토샵 전문가의 기술로 주름과 기미를 지우는 등 후 작업까지 심혈을 기울인다. 그렇게 인화된 사진은 고급스러운 액자에 넣어 어버이날에 증정한다. 어르신들이 사진을 머리맡에 두고 기뻐하시는 모습을 보면, 우리도 함께 행복해지는 기분이 든다.

어르신들이 '행복'을 느껴야 요양병원도 존재할 수 있다고 생각한다. 우리는 여러 가지 방면의 서비스 제공을 게을리하지 않고, 어르신들이 더 좋아할 수 있는 일이 무엇이 있는지 계속 고민하고 실천해나갈 것이다.

지역사회의 건강 지킴이

우리 병원 직원들은 지역의 독거노인들을 위한 봉사활동도 하고 있다. 대표적인 활동은 경로당에 찾아가는 한방 의료봉사다. 외곽 지역에 사는 노인들은 자가용이 없으면 시내 병원까지 오는 게 힘들기 때문에 찾아가는 것이다. 봉사를 받은 분들이 "매주 오면 좋겠다"고 말할 만큼 반응이 좋다. 무료봉사를 가는 한방 원장님은 진찰에 필요한 침, 뜸, 파스뿐만 아니라 어르신들을 위한 선물도 따로 마련해서 간다.

"시원하시죠? 아무쪼록 건강하셔야 해요, 어르신!"
"오늘도 치료해줘서 고마워. 근데 어느 병원에서 온 거야?"

어느 병원인지 밝히지 않으니 어르신들이 궁금해하시기도 한다. 우리는 어르신들에게 병원에 오셔서 치료를 받으라고 권하지 않는다. 봉사활동은 희생이 아니다. 진실한 마음으로 봉사한다면 그 시간은 기쁨과 보람이 되어 봉사자에게 돌아온다. 그리고 함께하는 어르신들도 그 마음을 느낄 수 있게 된다.

우리는 장애인 복지관과도 협약을 맺어서 한 달에 한 번씩 각종 행사를 후원하고 의료봉사를 제공한다. 장애인들은 큰 증상은 아니지만 작은 통증을 느낄 때가 있는데, 매번 병원에 찾아가기도 힘든 상황을 겪는다. 그럴 때 우리가 찾아가면 무척이나 반갑게 맞아준다.

"제가 다니던 병원에서 가정간호 서비스를 한 적이 있어요. 효사랑 병원도 익산에서 서비스를 하면 어떨까요? 상황이 열악하긴 하지만 환자들을 위해 꼭 필요한 사업이라고 생각해요."

다른 병원에서 가정간호를 했던 간호사가 병원장에게 '가정간호 서비스'를 제안했고 그 계기로 새로운 일이 시작되었다.

제안을 건넸던 간호사는 익산 왕궁면에서 일했었는데, 한센병 환자들을 위해 가정간호 서비스를 했던 것이다. 한센병의 특성상 병원에 가기를 꺼리는 환자들이 많기에 가정 방문을 시작했고, 일주일에 두 번씩 전주에서 익산까지 먼 거리를 달려가서 환자들을 돌보았다고 말했다.

가정간호 서비스는 수익이 적은 편이다. 이러한 이유 때문에 일부 병원에서는 해당 서비스를 없앴고 그로 인해 일자리를 잃은 간호사도 있었다. 하지만 간호사들은 다른 것보다 한센병 환자들이 의료 서비스를 받지 못하게 되는 상황을 더 걱정했다고 한다.

나는 그동안 실시했던 가정간호 서비스의 성과가 뚜렷하지 않았기에 고민되었지만, 이번이 기회라고 생각하고 왕궁면 내 한센 환자들을 위한 가정간호 사업을 시작했다.

그리고 지금 이 서비스는 퇴원 환우 관리 차원에서도 굉장히 중요한 시스템이 되었다. 어르신들은 병원이 아무리 대궐같이 좋아도 초가삼간 같은 내 집이 최고라고 생각한다. 그러므로 퇴원한 어르신들이 집에서 편안하게 의료 서비스를 받기에 이만큼 좋은 방법이 없다.

"효사랑가족요양병원입니다. 할머니, 거동은 좀 어떠세요? 저희 간호사가 이번 주에 댁으로 방문하려고 하는데 언제가 좋으신가요?"

퇴원한 환자에게 전화를 걸어 안부를 여쭙는 '해피콜'을 진행하고 가정간호사가 방문하여 건강을 체크한다. 해피콜, 가정간호 서비스, 방문 서비스로 이어지는 시스템을 잘 갖춰 놓으면 퇴원 이후에도 환자를 보살피기가 수월하다. 가정간호는 실제 환자나 보호자의 요청으로 가는 것이고 방문 서비스는 현재 불편한 사항이 있는지 살피고 상담해주는 것이다. 보호자가 직접 서비스를 요청할 때도 있지만, 환자의 상태가 좋지 않을 경우에는 우리 병원에서 먼저 방문한다. 필요하면 약을 처방해서 갖다 드리기도 하고 상황을 점검해서 병원장에게 보고를 한다.

"가정간호 서비스가 좋긴 좋습니다. 퇴원하고 허리가 좀 아팠는데 직접 와서 확인해주니 정말 고맙네요."

외국에서도 이런 서비스가 운영되고 있다는 걸 들었다. 또 방문 서비스 후에도 환자의 상태가 나아지지 않으면 대학병원이나 서울에 있는 상급 종합병원을 연결해 주는 진료 협력도 맺고 있기 때문에 재입원율도 높다. 큰 병원으로 집중 관리 치료를 나간 환자의 경우 간호부장이 주 1회씩 직접 방문하여 상태를 확인한다. 이처럼 환자 맞춤형 진료 서비스를 진행하고 있으니 반응이 좋을 수밖에 없다.

우리 병원은 환자를 단순히 치료하는 것이 아니라 '치유'하고자 하는 의도를 갖고 있다. 이 과정에서는 환자와 소통하는 게 매우 중요하다. 환자들의 사망을 많이 보게 되면, 그만큼 익숙해지는 것 같다고 하는 사람도 있다. 중환자실에서는 죽음이 일상이고, 일하듯이 그 죽음을 맞이하는 것도 사실이다. 하지만 이게 다는 아니다.

우리는 살아 있는 환자들의 소중함을 느끼기 위해 끊임없이 소통하려고 한다. 그리고 떨어져서 지내는 환자와 그 보호자의 소통도 중요시한다. 예를 들어, 환자가 나들이할 때 직원들이나 자원봉사자들이 휠체어를 밀어드리지만, 보호자들을 초청하기도 한다. 환자와 보호자가 잠깐이라도 함께 시간을 보내도록 하는 것이다. 이런 시간을 보내고 나면 환자의 컨디션이 더욱 좋아진다. 또한 송년회를 열 때도 보호자를 초대한다. 한 해를 마무리하는 시점에 어머니, 아버지라는 소중한 존재를 다시금 되새겨볼 수 있도록 하기 위해서다.

또 환자와 직원들 간의 소통을 더욱 원활하게 하려고 '고객 소리함'을 설치하게 되었다.

"앞으로 이 건의함에 친절한 직원이나 불친절한 직원의 이름을 적은 쪽지를 넣어 주세요. 우리 병원은 환자 여러분의 생각을 가장 중요하게 생각합니다."

어떠한 불만이 있거나, 칭찬하고 싶은 직원이 있으면 종이에 적어서 건의함에 넣도록 유도했다. 그 의견들을 정리해서 해당 부서나 직원에게 전달하면 환자와 직원들이 소통할 수 있는 또 하나의 창구가 만들어지는 것이다. 나는 소리함에 들어있는 의견들을 직원들에게 일일이 전달하고 주기적으로 피드백을 해주었다.

환자가 입원하고 나서 열흘이 지나면 사회사업실이라는 곳에서 상담을 진행하게 되어 있다. 이곳에서는 환자들이 불편함을 느끼고 있지는 않은지, 다른 환자들과의 마찰은 없는지 등 사람들과의 관계에서부터 개인적인 컨디션까지 세세하게 상담한다.

"식사는 입에 맞으세요?"

"응, 식사는 괜찮아. 근데 여기 온도를 좀 낮춰주면 좋겠어."

기본적으로 간호부장은 밤새 환자의 컨디션이 어떤지 살피고 영양과장은 식사에 불편함이 없는지 점검한다. 원무부장은 전반적인 불편 사항을 확인해서, 어려움이 발견되면 바로 해결을 하거나 조율한 뒤에 병원 운영에 반영한다.

건의가 들어오면 그 사항이 간호부장에게 전달되고, 간호부는 직원들을 대상으로 CS 교육을 자체적으로 시행하기도 한다. 원무부장, 간호부장, 병동장까지 연결되는 이 구조는 환자들의 의견이나 건의를 적극적으로 받아들이고자 하는 우리의 마음이다.

소통은 적극적으로 해야 하는 것이다. 환자가 그날 반찬이 마음에 안 든다고 말하면, 이는 아침 운영회의에서 영양과장에게 알려져야 하고 환자에게 가서 상황을 다시 확인하는 게 필요하다. 환자의 취향이나 기호 역시 꼼꼼히 체크되어야 하는 요소이다.

직원들이 환자에게 친자식처럼 말을 걸 때도 있는데, 때에 따라 환자가 좋아하기도 하고, 불편해하기도 한다. 실제로 친하기도 하고, 엄마나 아빠같이 느껴져서 정겹게 하려고 노력한 건데 환자의 기분에 따라 반응이 달라지는 것이다. 이 때문에 우리는 직원들에게 환자가 원하지 않는다면 최대한 존댓말을 사용하도록 원칙을 정했다. 상담할 때는 환자의 기분까지 고려해야 한다. 그저 매뉴얼에 따라서만 진행하면 안 된다.

환자의 생일같이 특별한 날에는 함께 축하하는 모습을 사진으로 남기고 보호자에게 보내 소통을 이어간다. 또한 병원 홈페이지에서 1대1로 실시간 문의가 가능하게 만들어 놓으니, 젊은 나이의 보호자들이 많이 이용하게 되었다. 이처럼 소통은 실시간으로 이루어져야 하며 내 일처럼 발 벗고 나서야 할 의무이다.

part 6 소통이 행복을 만든다

part 6

소통이 행복을 만든다

직원들에게 고마움을 보상하라

"전문가 교육과 세미나에 참석할 예정인데 교육비 지원은 어디서 받나요?"

"이번에 아들 녀석이 대학에 입학했어요. 장학금을 신청하게 서류 좀 부탁드려요."

"교육 봉사 일정이 잡혀서 유급 휴가를 신청하려고 합니다."

우리 병원에서는 직원 복지를 위해 다양한 제도와 지원을 아끼지 않는다. 직원들이 업무에 집중할 수 있도록 지원하는 것은 굉장히 중요하다.

"해외 연수에 가서 교육만 받은 게 아니라 다양한 체험을 할 수 있어서 좋았어요."
"바비큐 파티나 낚시 대회를 하면서 직원들과 더욱 돈독한 사이가 되었습니다."

작게는 직원 생일에 케이크를 전달하는 것부터 시작한다. 우수 직원을 선발해서 일본을 비롯한 해외의 의료기관으로 연수를 보내기도 하고 콘도를 예약해 워크숍 비용을 지원해준다. 영화나 농구, 축구 관전 등의 활동은 물론, 테마가 있는 여행을 보내주기도 한다. 또한 1년에 두 번씩 의료진을 위한 골프대회와 바다낚시 대회를 개최하고 바비큐 파티를 열어서 친목을 다진다. 체육대회와 송년의 밤도 빠뜨리지 않고 개최하면서 직원들이 행복하게 일하는 병원을 만들기 위해 노력하고 있다.

복지를 실천하는 방법은 다양하지만, 특히 손에 꼽힐 만한 것은 두 가지가 있다. 우선, 직원 평가 프로그램을 들 수 있다. 연말에 칭찬받을 만한 직원들을 선정해서 시상하는 것이다. 봉사왕, 제안왕, 친절왕, 공감왕, 홍보왕이라는 효사랑 5관왕을 두어서 매년 종무식에 상을 준다.

"올해 봉사왕은 자원봉사 부문에서 가장 적극적으로 활동하고 의료봉사에서도 솔선수범했던 사람을 선정했습니다."

봉사왕은 식사 수발, 자원봉사, 의료봉사 활동으로 평가한다. 제안왕은 카메라 리포트나 제안 제도를 통해 병원을 혁신하는 데 주도적으로 수행한 직원에게 주는 상이다. 친절왕은 직원 투표를 통해 선정된다는 점에서 조금 특별하며, 공감왕은 직원 화합과 소통 및 공감 문화를 주도한 직원에게 준다. 병원 홍보나 환자 유치에 현격한 공로가 있는 직원은 홍보왕으로 선정된다.

"동료들이 뽑아줘서 기분이 더 좋네요."

2013년 1월에는 요양병원 중 전국 최초로 선택적 복지 제도를 도입했다. 복지 카드 포인트를 통해 가맹점이나 온라인 효사랑 해피몰에서 콘텐츠, 상품 등을 구매할 수 있는데, 포상과는 별도로 매월 실적에 따라 복지 포인트를 부여하여 장기근속자들을 위한 포상 제도로 운영하고 있다.

직원이 입사할 때 발급해주고 있으며 하나의 인센티브 개념으로 활용하고 있다. 세미나를 개최했을 때에는 부서별 세미나 발표자, 직무 평가 우수자에게도 포인트가 지급된다.

병원에서 일하는 직원들이 행복해야 그 행복이 환자와 가족에게도 전달된다고 본다. 어떤 방식으로든 그들이 행복을 느낄 수 있기를 바란다. 그들이 마땅히 가져야 할 것들은 가져야 하고 또한 많은 것들을 받을 만한 자격이 있다고 생각한다.

우리는 직원들을 위한 다양한 복지 프로그램과 혜택이 유지되도록 꾸준히 애써나갈 것이다.

직원 가족도 한 가족처럼

전주 여성 일자리 센터에서 '2014 여성친화기업' 선발을 추진했었는데, 영광스럽게도 우리 병원이 선정되었다. 여성 일자리 창출 여부가 선정 조건에서 가장 큰 비중을 차지했었다. 우리 병원에 여성 직원이 많아 유리한 것도 있었을 터였다.

나는 직원 한 사람 한 사람이 행복하고 즐거운 직장 생활을 할 수 있어야 한다는 생각이다. 그리고 그의 가족들도 혜택을 볼 수 있도록 노력을 기울이고 있다.

"복지 혜택이 많다는 점이 무엇보다 좋아요. 지난달엔 임실

치즈 마을에 여행을 다녀왔는데 아이들이 정말 즐거워했어요."

가족 건강검진 기회도 자주 마련하고, 직원 자녀들에게는 장학금을 지원하기도 한다. 자녀들이 부모의 직장을 체험해보는 프로그램도 있고, 초등학생 이상의 자녀들은 여름방학 때 우리 병원에서 봉사활동도 한다. 그리고 불가피한 일이 발생할 때 최대 90일까지 무급 휴직이 가능한 가족 돌봄 휴직제도가 있다.

아내인 김정연 병원장의 섬세한 감성은 병원 내 이벤트에 많은 도움이 된다. 첫눈 오는 날에는 찐빵을, 빼빼로데이에는 빼빼로를, 화이트데이에는 사탕을 챙기는 등 소소한 이벤트를 하는 동시에 매년 어린이날이 오기 전, 아이들이 좋아할 만한 선물 목록을 만들어서 직원들이 직접 고를 수 있도록 한다. 그렇게 준비된 선물과 카드를 직원에게 전달하면 아이들에게 전해지는 것이다. 한번은 4병동에 근무하는 이선 선생님의 아들인 박현민 어린이에게 이런 글을 써서 보낸 적이 있다.

♥호기심이 많은 현민아♥

새로운 것에 관심을 가지는 너의 모습이 참 보기 좋구나.

지금처럼 푸른 꿈을 간직한 슬기로운 어린이가 되렴.

– 현민이를 사랑하는 이사장 박진상 –

내가 보낸 손편지와 선물을 받은 현민이는 굉장히 신기해했다고 한다. 그리고 곧 종이를 오리고 그림을 그려서 만든 카드에 정성 들여 쓴 답장을 보내왔다.

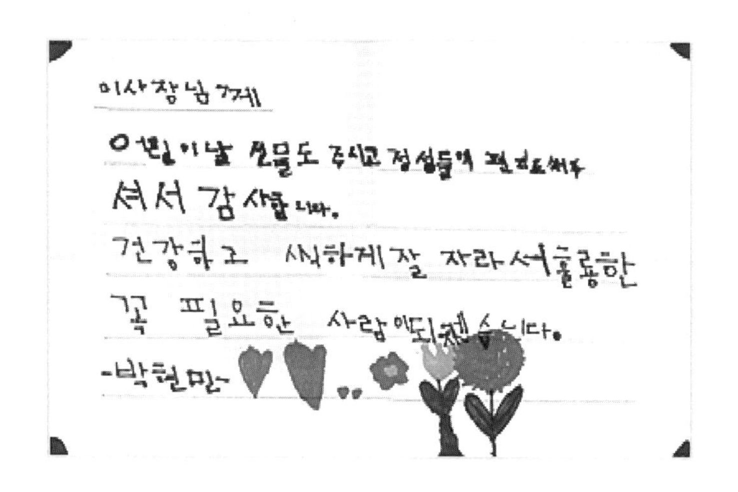
이사장님께

어린이날 선물도 주시고 정성들여 편지도 써주
셔서 감사합니다.
건강하고 씩씩하게 잘 자라서 훌륭한
꼭 필요한 사람이 되겠습니다.
-박현민-

기대하지 않았던 답장을 받은 나는 뿌듯한 마음을 감출 수 없었다. 이제는 해마다 4월 중순이 되면 각 병동에 있는 직원들이 모두 궁금해하기 시작한다.

“이번 어린이날 선물은 뭘까? 실장님, 아는 거 없나요? 작년에 우리 애가 무척 좋아했거든요.”

그러면 선물 준비 작업을 맡은 사회사업 실장이 직원들에게 이야기한다.

"요즘 아이들이 좋아하고 트렌드에 맞는 선물을 준비할 테니 기대하셔요. 어린이날을 손꼽아 기다리면 기다릴수록 더 멋진 선물로 느껴질 겁니다."

"설마 직원의 모든 자녀에게 선물을 챙겨주시는 건 아니죠? 그렇게 많은 걸 어떻게 다 준비하나요?"

한방과 김소형 원장은 간호사가 자녀의 이름과 나이, 받고 싶은 선물 등을 물어보자 깜짝 놀라 되묻기도 했다. 초등학생 이하 자녀라면 누구나 받을 수 있다고 말하자 마치 본인이 선물을 받는 것처럼 좋아했다. 어린이날 주간이 되면 선물과 손편지를 받고 기뻐할 아이들이 떠올라 집으로 돌아가는 발걸음이 더욱 가벼웠다고 한다.

그리고 그날, 레고 블록과 변신 자동차 선물을 받은 일곱 살 아이는 흥분을 감추지 못했다. 아이는 저녁 식사를 마친 뒤 바로 블록 조립을 시작하고 식구들이 다 잠든 시간까지 몰두하더니 끝내 견인차를 완성하고 잠들었다고 한다. 다섯 살 딸아이도 핑크색 레이스가 달린 옷과 각종 액세서리 선물을 보고 함박웃음을 지었다고 한다. 그리고 아직도 '웃는 모습이 천사 같은 규원이에게'로 시작하는 손편지를 소중하게 간직하고 있다고 한다.

어린이날뿐만 아니라 대입 수능 시험일에도 그냥 지나치지 않는다. 그해에 수능 시험을 치르는 자녀가 있으면 직접 쓴 기도문을 전달한다. 4병동의 김수민 선생님은 자녀를 위한 수능 대박 기도문과 찹쌀떡을 받고 미리 합격의 기쁨이라도 맛본 것처럼 좋아했었다.

효사랑 수능 **대박** 기도문

펜이 가는 곳마다
정답이 되게 하시고
지현이와 출제자의 생각이 일치하시고
잊었던 기억이 마구
떠오르게 하소서

찹쌀떡과 기도문에 담긴 격려의 마음이 아이에게도 전해진 것 같다고 말해왔다. 이처럼 많은 가족의 다양한 상황에 맞춰 준비하는 것이 쉬운 일은 아니다. 누군가는 번거로운 일이라고 생각할 수도 있겠지만, 우리가 준비한 선물을 받고 정말 순수하게 좋아하는 그 모습들을 보거나 전해 듣게 되면, 마음이 풍족해지는 느낌을 받는다. 그냥 건네주고 끝나는 것이 아니라 모두의 마음을 채워주는 일이다.

소통이 행복을 만든다

"첫째 주니까 부서별로 회의하고 나서 다음 달의 핵심 과제를 뽑아주세요."

우리 병원에서는 매일 아침 운영회의를 열고, 부서별 핵심 업무를 타 부서와 함께 공유한다. 그리고 매월 1일에는 병원별로 월례회의를 한다.

첫째 주에는 다음 달 핵심 과제를 추출하고 둘째 주에는 경영혁신팀 회의가 있다. 행사 일정을 미리 기획하고, 준비 사항과 담당자를 정해서 다음 달에 실행할 일을 확인하는 것이다.

다음 달의 핵심 업무와 과제가 나오면 셋째 주에 먼저 진료진들과 내용을 공유한다. 또, 전월 진료실적과 약 사용량 등을 분석하여 개선점을 찾고 진료 원장들의 애로사항도 듣는다.

넷째 주는 직원 간담회를 가진다. 부서 직원들끼리 논의하고 다음 달 일정을 확인한 뒤 불편한 점을 이야기하고 간담회 일지를 통해 병원장에게 보고를 한다. 간담회에는 의사나 간부가 참여해서 현장의 목소리를 직접 듣는데, 직원 모두가 회의에 참석하는 것은 아니다. 병원장이 병동별로 의견을 다 들어

보고 개선될 수 있도록 조율한다.

매월 말에 제기된 문제들은 한 달 정도 시간을 두고 해결하게 하며, 그다음 월례조회 때 진행 상황과 업무 일정을 확인하면서 직원들의 참여를 독려한다. 간담회는 전 직원들의 애로사항을 듣는 자리지만 각 부서는 자체 진행 상황을 공유하는 편이다.

지금은 체계적으로 진행되고 있지만 회의 문화를 제대로 정착시키기까지 꽤 오랜 시간이 걸렸다. 회의 문화의 정착을 위해 '톡톡(talk talk) 제도'를 만든 적도 있다. 병원장이 현장 상황을 알아보기 위해 만든 일종의 신문고 제도다. 직원들이 회의에서 상위 부서장을 통해 이야기하고도 해결이 안 되면 사내 인트라넷을 통해 병원장에게 직접 의견을 전달할 수 있는 제도였다.

여기서 가장 중요한 목표는 직원들과의 소통, 곧 공감이다. 처음에는 간담회라고 표현했는데 지금은 '공감데이'라고 부른다. 실질적으로 진료 의사들과 연합해서 문제를 해결하고 타 부서와 연계해서 오해나 불편한 요소들을 해결한다. 층별로 모든 직원이 모여서 다양한 아이디어를 제안하거나 필요한 것을 요청하는 식이다. 간담회라고 할 때는 참여율이 저조했는데 '공감데이'라는 이름으로 바꾼 후에는 다과와 함께하는 자연스러운 분위기로 정착되었다.

직원 한 명 한 명이 각종 회의나 부서 간담회를 통해 월 1회 자기 의사를 표출할 기회를 얻게 됨으로써 작게나마 경영 참여를 유도한 것이다. 이와 같은 회의 문화는 실행력이 강하고 소통이 원활한 조직을 만드는 데 기여한다.

소통을 위해 포털사이트의 모바일 커뮤니티를 적극 활용하고 있기도 하다. 직원들 간 소통에 의미를 둔 사이버 공간 모임이라고 할 수 있다. 우리가 개설한 이 모임에는 직원들의 생일 파티나 병원 내의 소소한 소식이 많이 올라온다. '칭찬합니다', '공감되는 시', '책 내용 한 구절' 등의 메뉴가 있어 종종 들어가 직원들이 올린 흥미로운 글을 볼 수 있다.

누군가 효사랑 게시판에 글을 올렸는지 주머니 속에서 핸드폰 진동이 울렸다. 글을 보니 웨딩 사진이 첨부된 청첩장과 함께 영상이 뜨는 게 아닌가. 우리 세대는 우편을 통해서 초대장을 보내고 가까운 지인은 일일이 찾아가서 인사했었는데, 이제는 모바일로 전 직원이 결혼 소식을 공유할 수 있는 걸 보니 세상 참 편해졌다는 생각이 들었다.

"선생님, 예뻐요! 5월의 신부가 되셨네요."

"결혼 축하합니다. 자녀도 많이 낳고 행복하게 사세요."

모바일 청첩장을 본 직원들의 덕담이 쏟아졌다. 이 모바일 모임이 활성화되면서 좋은 소식과 나쁜 소식, 병원 행사 등 다양한 내용을 전보다 빠르게 공유할 수 있게 되었다. 직원들 간 소통의 창이 되어주며, 서로를 알아갈 수 있는 다리 역할도 해주는 것이다.

잠깐의 시간만 내도 확인할 수 있고 평소에 자주 보기 힘든 직원들의 소식까지 쉽게 알 수 있게 되니, 서로가 함께하고 있다는 걸 다시금 느끼게 된다.

행동하는 병원

직원끼리 친분이 두텁다 보니 주말을 이용해 함께 여행을 떠나는 걸 자주 보았다. 그럴 때는 병원에서 차량을 지원해주기도 하고 경비를 지원하기도 한다. 그 외에 병원의 테마 여행이나 동호회 활동, 문화 이벤트 등이 있어 직원들이 친목을 도모할 기회는 충분하다. 이렇게 함께 여가 시간을 보내며 힘든 일은 위로해주고 부족한 부분은 채워 나가니 이직하는 직원들도 줄어들었다.

또한 건강한 조직 문화를 만들기 위해 직원들 스스로 여러 동호회를 개설했다. 현재 탁구와 축구, 볼링 동아리 등이 무척 활발하게 운영되고 있는데 특히 효사랑 FC 축구 동아리는 월 2회씩 지역 내 단체들과 친선경기를 하며, 7년 동안 이어져 오고 있다.

"동아리 활동 목적과 내용에 따라 총예산의 30~50%를 지원합니다. 특히 자원봉사나 공익성 활동은 최대한 도와 드리고 병원 홍보를 위한 활동에는 특별 예산도 편성합니다."

"댄스 동호회도 지원해주시나요?"

"당연하죠. 댄스 말고도 축구, 사진, 등산, 합창, 무용, 요가 등 동호회 활동에 필요한 지원비를 신청해주시면 됩니다."

정기적인 활동을 하는 동호회에는 3교대 근무자들이 시간을 맞추기 힘들어 상근자들만 참여하다 보니, 예전과는 운영 방식이 달라졌다. 일정 인원이 신청하면 강사료를 지원해 주고 재료비가 많이 들 경우 50%는 본인 부담으로 진행하는 식이었는데, 나중에는 예산이 낭비되는 일이 잦았다. 열정을 가지고 활동하는 이들이 줄어들었던 것이다. 마치 헬스클럽에 등록하고는 며칠 안 돼서 가지 않게 되는 것과 비슷했다.

그래서 단기 동호회는 문화 강좌식으로 바꿔서 운영하고 있다. 주로 천연 화장품과 POP, 비즈 공예 등은 주 1, 2회나 월 4주 동안 하도록 지원한다. 상반기, 하반기로 나눠서 짧은 시간 동안 진행하는 경우도 있다.

회식 또한 다르다. 우리 병원 회식은 부서를 초월해서 진행된다고 말할 수 있다. 1층의 행정팀이 회식하면 영양과나 관리부를 부르기도 하고, 간호과에서 회식할 때 행정부서도 참여할 수 있게 한다.

회식에서는 아무래도 일할 때와는 다른 분위기가 생긴다. 함께 먹고 즐기는 상태에서 상대방에게 고칠 점을 말하면 듣는 사람도 오해하지 않고 좋게 받아들일 수 있다. 또 반대로 잘하는 부분을 서로 칭찬해주기도 하니, 병동과 부서 간 또 다른 소통의 장이 펼쳐지는 것이다.

"부장님, 업무에 문제가 좀 있는데요."

"네, 편하게 말씀해보세요."

직원들은 때로 부장들에게 찾아가서 자신의 의견을 스스럼없이 말한다. 사소한 문제라도 병원장에게 피드백을 받아서 해결하니 호응이 좋다. 만약 담당 부서장과 소통이 어려우면 다른 부서의 원무부장이나 간호부장, 총무부장, 사회사업실 실장에게 건의할 수 있다. 한 단계 건너서 고충을 처리할 수 있도록 하는 것이다.

타 부서와의 관계가 원활하지 않을 때는 원무부장이나 총무부장을 찾아가서 털어놓으면 조언을 해준다. 부서장들이 사람들 사이에서 중재해주기 때문에 화해도 빨라진다. 병원마다 원우회도 활성화되어 있어 경조사나 애경사도 공지해서 참여하도록 유도한다. 결혼식에 직접 가지 못할 때는 축의금을 따로 챙겨줘서 성의를 표시하고, 입원한 사람에게 병문안을 가지 못할 때는 꽃바구니나 화분을 보낸다.

"간부들도 현장에서 직접 체험하면서 문제점을 파악하고 개선점을 찾아야 합니다. 직접 청소, 간병, 목욕 등 현장을 체험해보는 게 좋겠습니다."

부서의 간부들과 본부장, 병원장이 솔선수범해야 직원들에게 명분이 선다. 그렇기에 원무부, 간호부, 총무부, 사회사업실의 간부들이 돌아가며 2인 1조로 어르신 목욕 수발을 했다. 다른 부서의 업무를 직접 해보면 유기적인 관계를 도모할 수도 있다는 생각에서다.

어느 날에는 간호부장이 영양과에 체험을 갔다. 그러다 간호사들이 환자에게 약을 먹이고 나서 약포지를 식기 위에 버리는 사실을 알게 되었다. 그러면 나중에 영양과 직원들이 고무장갑을 끼고 식기에서 약포지를 떼야만 하는 상황이 온다.

"식사 때 약포지는 따로 버려주세요. 뒤처리하는 데 너무 힘들어요. 몇 번 건의했는데도 개선되지 않아서 안타깝습니다."

영양과에서는 약포지를 식기에 버리지 말라고 몇 번 건의했었다. 하지만 간호과에서는 그게 얼마나 불편한 일인지 잘 모르기 때문에 크게 신경 쓰지 않았다. 그러다가 간호부장이 직접 영양과에 가서 일해 보고 난 뒤 곧바로 조치를 취하게 되었다.

"이렇게 불편한 줄은 몰랐어요. 다른 부서의 일에 더 신경을 쓰게 되네요. 부서별로 불편사항이 해결되는 데 확실히 도움이 되는 것 같아요."

한 번은 내가 조리실에서 현장 체험을 한 후 이런 요청을 했다.

"식판과 식기를 전량 폐기해주세요. 국물이 버려지지 않고 그대로 있으면 착색되어 용기가 깨끗해 보이지 않아요. 뚜껑이 찌그러진 것도 버리는 게 좋겠어요."

예산이 더 들어간다 하더라도 환자들과 직원들을 생각하면 해야 할 일이었다. 동시에 식당에 필요한 최신식 요리도구들도 보충해달라고 말했다.

"화장실에서 기저귀를 갈면 냄새가 많이 납니다. 조금만 신경 쓴다면 효율성이 훨씬 높아질 것입니다."

또 목욕 관리를 하러 갔을 때도 개선할 점들이 눈에 띄었다. 이전에는 무심코 지나쳤던 일들인데, 직접 체험해보니 고쳐야 할 문제점으로 다가왔다. 백문이 불여일견이라는 말이 적당할 것 같다. 백 번 듣는 것보다는 직접 가서 보고, 담당 직원들과 이야기를 나누는 것이 문제를 파악하고 해결하는 데 도움이 됐다.

노래하고 춤추고 즐기자

요양병원의 특성상 간호과 인력의 평균 연령이 일반 병원에 비해 높다. 하지만 나이는 아무 상관이 없다. 일할 때는 열심히 일하고, 스트레스를 풀어야 할 때 푸는 것은 다른 사람들과 같다. 우리는 스트레스가 많이 쌓였을 직원들을 위해 즐길 때는 확실하게 즐기자는 말을 많이 한다. 송년회 때, 아내 김정연 병원장은 나이트클럽 전체를 대관해서 모든 직원이 신나게 단합할 수 있는 자리를 만들었다.

막상 모이게 되자, 다들 그 장소가 어색했던지 자리에 서서 쭈뼛거리고만 있었다. 그런데 아내가 먼저 무대로 나가서 춤을 추기 시작했다. 술도 잘 마시지 않는 아내가 어색하게 춤을 추자 직원들은 깜짝 놀랐다. 뒤이어 동생인 박진만 이사장이 무대로 올라가서 함께했다. 병원장과 이사장이 망가지는 것을 두려워하지 않자 직원들도 무대로 올라가기 시작했다. 곧 모두 신나게 춤을 췄고 몇몇 직원들은 DJ가 있는 단상까지 올라갔다.

송년회는 매번 다른 콘셉트로 진행되고 있다. 소식을 들은 직원들은 장기 자랑을 위해 댄스 학원에 다니거나 무대 의상을 직접 만들기도 했다.

웨딩홀을 빌렸던 때는 원무부장이 바바리 복장으로 무대 위에 올라갔다. 그리고는 바바리를 열어젖히면서 소리를 질러 여직원들의 야유와 환호를 한꺼번에 받았다. 망사 스타킹에 마릴린 먼로 의상을 입고 가발을 쓴 채 무대에 오른 총무부장은 춤을 췄고 직원들 모두 웨딩홀이 떠나갈 듯 환호성을 질렀다.

그렇게 한 해 동안 쌓인 스트레스를 훌훌 풀어버리는 것이다.

2015년도 송년회는 삼성문화회관을 대관해 코요태, 한혜진, 윙크와 신인 아이돌, 댄스팀을 초청했다. 효사랑 협력기관과 업체, 정기적으로 도와주시는 자원봉사자들까지 함께하는 대규모 축제의 장을 열었다.

소풍 때는 보물찾기를 하거나 퀴즈를 내서 선물을 증정하는 것 외에도 재미있게 즐길 만한 프로그램을 개발했다. 체육대회는 3개 병원이 연합해서 여는데, 대형 체육관을 빌려 진행하고 점심시간에는 직원들에게 고급 뷔페를 제공한다. 그리고 작년에는 전 직원들이 모두 모여 프로축구를 관전했다.

우리 병원의 장점은 뭐니뭐니해도 직원들의 끈끈한 결속력이다. 사람들은 이렇게 단합을 잘하는 직장도 드물다며 입을 모아 말한다.

사회사업실에서는 직원들과 어르신들을 즐겁게 해주기 위한 아이템을 연구하기도 한다. 병원 내부에는 문화 공연장이 있는데, 어르신들에게 보실만한 벨리댄스나 클래식 공연, 아코디언 연주, 마술, 방송댄스 등이 준비된다. 그중에 어르신들이 가장 좋아하는 공연은 정해져 있다.

"가수들이 직접 와서 노래를 불러주는 게 제일이지. 암, 그렇고말고."

"그다음은요?"

"유치원생들 재롱잔치지. 꼭 우리 손주들 보는 것 같아서 좋아요."

우리는 지역에서 활동하는 가수들을 섭외하고 일 년에 한두 번은 유치원에 공연을 요청했다. 초청 가수들은 어르신들의 흥을 불러일으키기 위해 포옹을 하거나 박수를 치면서 반응을 유도한다.

주채연이라는 가수가 공연하던 날이었다. 그 가수의 눈에 다른 사람들보다 한 박자씩 느리지만 누구보다 열심히 박수를 치던 할아버지 한 분이 눈에 띄었다고 한다. 작고 왜소한 몸, 그리고 흰 눈썹과 듬성듬성 남은 백발을 단정히 빗어 넘긴 할아버지였다. 검버섯이 잔뜩 핀 주름진 눈가엔 웃음이 가득했다. 구석에서 흥에 겨워하는 할아버지의 모습을 본 주채연 씨는 돌아가신 자신의 아버지를 떠올린 모양이었다. 할아버지 곁으로 다가가 손을 잡고 노래를 부르다가 눈물을 흘렸다. 그리고 공연이 끝난 후 주채연 씨는 자신의 아버지를 닮은 환자의 수양딸이 되었다.

"이렇게 늙은 나를 누가 안아 주겠어?"

수양딸이 생긴 할아버지는 젊은 아가씨가 아무렇지도 않게 자신을 껴안아 주던 순간을 잊지 못한다고 말했다. 모든 사람의 눈시울을 적신 감동적인 공연이었다.

"어르신들께서 적극적으로 호응해주시니까 공연하는 저희도 정말 신바람이 납니다. 다른 데서 공연해도 이 정도는 아니었어요."

공연이 있으면 간호과장, 병동장도 나서서 환자들과 함께 춤을 춘다. 가수의 노래에 맞춰 어르신들과 함께 어우러지는 분위기에 공연 봉사자들도 모두 놀란다. 직원들은 어르신들 사이에서 안전사고에 대비하면서도 즐거운 시간을 보내는 것이다. 각종 행사 때도 진료원장들이 자발적으로 참여함은 물론, 신입 직원들도 자연스럽게 동참한다. 이런 분위기를 만들기까지 김정연 병원장의 노력이 컸다.

문화 공연장에서는 환자를 위한 교육 프로그램도 열린다. 영화 상영을 시작하기 전 약간의 시간을 이용해 커다란 스크린 위로 낙상 교육이나 화재 교육 동영상을 내보낸다. 그리고 간혹 어르신들 간, 혹은 직원들을 향한 성희롱 상황이 발생하기도 해서 성희롱 방지 교육을 진행했다. 말로 하는 설명보다는 영상으로 보여주는 것이 더 좋은 결과를 부른다.

우리 병원은 이렇게 직원들에게 즐기면서 일하는 직장을 선사해주려고 하고, 환자들에게는 병원이라는 특성에서 벗어나지 않되 다채로운 경험을 안겨주고자 했다. 이런 모든 것들이 '행복 에너지'를 끌어내리라 믿는다.

2013년부터는 전별 제도를 실시했다. 퇴사하는 직원이 있다면 퇴직금과는 별도로 나이, 연령, 상황에 따라 선물을 전달했다. 또, 퇴사를 앞둔 시기에는 병원장과의 면담이 있다. 한번 맺은 인연을 잊지 말고 좋은 기억으로 남기자는 뜻에서 하는 면담이다. 인생에서 중요한 시기에 우리 병원에서 일하며 수고해준 것에 대한 감사 인사도 건넨다.

이렇게 직원들이 그만두더라도 좋은 관계를 유지하다 보니, 퇴사한 뒤에도 연락을 주고받는 일이 많다.

"여건이 되면 효사랑에서 다시 일할 수 있으면 좋겠어요. 가능할까요?"

개인적인 사정으로 인해 어쩔 수 없이 그만두는 때도 있지만, 한순간의 감정으로 인해 그만두는 경우도 있었다. 이 경우 정리할 시간을 가지고 난 뒤, 다시 병원에 돌아오고 싶어 하는 직원들이 있다. 우리 병원이 다른 병원보다 월등히 좋아서라기보다는 '그때의 일이 별일 아니었구나' 하는 생각과 동료들과 잘 지내며 일하던 게 그리워지기 때문일 것이다.

성실하고 책임감 있는 선생님 한 분이 직원들과 사소한 말다툼을 하고 퇴사하기로 한 적이 있었다. 지켜보는 나도 많이 안타까웠다. 그리고 어느 날 그 선생님에게서 다시 입사할 수 있냐는 연락이 왔다. 나는 다른 직원들에게 알리고 다시 채용했고, 재입사를 한 뒤 더 열심히 일하는 모습을 보고 뿌듯할 수밖에 없었다.

"다시 와서 조금 창피하기도 하고 새로운 병동 식구들과 사귀는 것도 어색하네요…. 하지만 병원장님께서 제 이름을 기억해주시고 반갑게 맞아주시니 마음이 뜨거워지더라고요. 한번 효사랑인은 영원한 효사랑인인가 봐요. 앞으로는 더 열심히 일하겠습니다."

그 말을 듣고 나도 많이 반성했다. 그리고 미처 외우지 못했던 직원들의 이름을 외우는 계기가 되었다. 지금은 병동에 올라가면 일부러 직원들의 이름을 부르면서 마음을 나누곤 한다. 이유야 어찌 됐든 병원으로 다시 돌아온 직원을 보면 반갑고 또 고맙다. 우리는 재취업한 직원들의 경력을 인정하고 근속을 연결해준다.

근무 조건 때문에 다른 병원으로 옮겼다가도 조직 문화가 병원 생활을 크게 좌우한다는 것을 깨닫고 되돌아오는 경우도 있다. 이는 의사들도 마찬가지다. 다시 돌아온 직원들은 전보다 더 헌신적으로 일하면서 열정을 보여준다.

part 7

굽은 소나무가 뭣자리 지킨다

Part 7

굽은 소나무가 뒷자리 지킨다

모두 행복한 세상 만들기

_ 지원봉사의 시작

병원에서 자원봉사자들과 마주치는 일이 잦았다. 꾸준히 찾아와서 환자들을 돌보고 정을 쌓고 어울리는 그들을 보며, 나는 '봉사'에 대해 다시금 생각하게 되었다. 병원이 주도하는 봉사가 아니라, 개인이 자발적으로 참여하는 봉사활동을 시작하면 어떨까 싶었다. 이건 나 혼자만의 생각이 아니었던 모양이었다. 봉사를 하려는 사람들이 예상보다 많이 모이게 되었고,

이로 인해 2011년에 '효사랑 자원봉사단'을 발족했다.

처음에는 봉사활동 할 곳을 섭외하는 일부터 어려움을 겪었다. 평소에 생각해두었던 곳은 있었지만, 실제로 행동하기 위해서는 구체적인 정보와 요령이 필요했다.

우리는 우선 봉사활동을 어떤 식으로 전개할 것인지 의논하고, 전라북도 자원봉사센터와 협약을 맺은 뒤 자원봉사 기관으로 등록했다. 자원봉사센터에서는 우리가 수월하게 활동할 수 있도록 재활원, 양로원, 아동복지시설 등을 일일이 섭외해 주었다. 그 후로 청소년 자원봉사센터, 전주시 자원봉사센터와도 협약을 맺어 지역사회를 아우르는 봉사활동을 하게 되었다.

효사랑 자원봉사단 활동을 시작한 지 벌써 5년이 넘었다. 시간이 지날수록 참여하는 직원 수도 더욱 늘어갔고, 몇몇은 자녀를 데려와서 함께 참여하기도 했다. 몇 달 전에는 전주 인근에 있는 양로원으로 봉사활동을 하러 갔는데 할아버지 한 분이 무척 반갑게 맞아 주어서 놀랐던 적이 있다.

"아니, 이게 누구야? 잘 지내는가 모르겠네."

'이 분이 누구시더라?'

바로 5년 전에 우리 병원에 입원했던 어르신이었다. 당시에는 돌봐주는 가족도 없이 다 쓰러져가는 집에서 혼자 지내고 계셨다. 게다가 당뇨가 심한 상태였는데 제대로 된 식사도 못 하고 외부 사람과는 접촉을 피하고 있었다. 병원 입원 후에는 건강이 어느 정도 회복되어 전주시에서 위탁 운영하는 양로원에 보내 드렸었는데, 이렇게 우리를 만나게 되자 알아보시고 반가워하시는 것이었다. 그동안 인상도 조금 변한 것 같고 세월로 인해 야위어 보였는데, 가만히 보고 있자니 처음 만났을 때의 모습이 보이는 듯했다.

여전히 가족의 보살핌을 받지 못하고 지내는 모습에 안쓰러운 마음도 들었다. 이날 하루는 온전히 어르신을 위한 하루를 보내야겠다는 생각이 들어서 함께 프로그램도 참여하고 그동안 지내온 이야기도 나누었다. 오랜만에 고향 어르신을 만난 것처럼 정겨웠다.

집으로 돌아가는 길에 문득 '효사랑 병원에 계셨던 분들이 모두 잘 지내는 것일까?' 하는 궁금증이 떠올랐다. 옛날에 만났던 어르신을 다시 뵙고 나니, 돌아가신 분들도 생각났다. 그동안 잊고 있던 인연과 기억들이 몰려와 머릿속에 꽉 차는 통에 그날 밤은 쉽사리 잠을 이룰 수가 없었다.

효사랑병원의 봉사와 나눔은 해마다 진화한다. 우리는 봉사활동을 가는 기관마다 지원금을 정해두었다. 작은 기관 및 소그룹은 50만 원, 큰 기관은 100만 원이나 200만 원이다. 작은 규모의 기관에는 필요한 것이 무엇인지 물어본 후에 물품으로 지원한다.

모든 기금을 병원에서 내기보다 직원들과 함께 마련하는 게 더 의미 있을 것 같아 다른 방법도 찾아보았다. 우선 병원에서 300만 원을 기탁하여 사과나무를 분양받았다. 직원들과 사과를 수확하고 판매하는 방식으로 기금을 모을 계획이었다. 그리고 직원들이 부지런히 일한 결과, 한 해 200만 원 정도의 사과 판매수익을 올리게 되었고 무사히 기금으로 쓸 수 있었다.

초기에는 오로지 '효사랑 자원봉사단'을 중심으로 활동해 나갔지만, 지금은 봉사단이 아닌 직원들도 봉사활동이 가능하게 만들었다. 바로 평일 자원봉사 공가제도를 이용하는 것이었다. 평일에 자원봉사를 하면 유급 휴가로 인정해주는 방식으로, 직원 누구나 최소 1년에 한 번 이상 봉사활동에 참여하도록 독려했다. 근무로 인해 하루를 다 쓰지 못한다면 이틀로 나누어 반나절씩 봉사해도 하루로 인정했다. 본래는 주말에 시간을 내서 봉사하는 게 맞지만, 참여자가 줄어들지 않게 하려고 생각해낸 방법이었다.

이러한 노력이 인정받게 된 것인지, 우리 병원은 2012년 12월에 '자원봉사 최우수 기관'으로 선정되어 전라북도 도지사상을 받았다.

봉사활동이라는 것은 의미도 있어야 하지만 재미 또한 있어야 한다. 나는 직원들이 그 재미를 느낄 수 있도록 여러 가지 프로그램을 기획했다. 영아원 아이들과의 마트 나들이, 크리스마스에 산타 원정대가 되는 것, 지역 아동센터 아이들과 영화를 보거나 장애우들의 나들이 지원, 연탄 봉사, 반찬 배달 등 봉사 프로그램을 매달 달리해서 직원들의 흥미를 유발하고자 했다.

봉사가 우리에게 주는 것들

우리 병원이 봉사를 가는 곳 중에는 장애인 시설인 동암재활원이 있다. 직원들이 가장 많은 봉사활동을 하러 간 곳이기도 하다. 그래서인지 이 재활원과의 관계도 매우 끈끈해졌다. 우리 직원들은 재활원 안에 있는 작업장에서 두부 만들기, 포장 접기 등을 돕기도 했다. 단순한 봉사가 아닌, 그들이 하는 일에도 도움을 준 것이다.

일을 한 뒤에는 휴식도 필요한 법이다. 때로는 장애인들과 함께 꽃놀이를 가기도 한다. 휠체어를 탄 사람들이 많다 보니, 바깥 활동을 하게 되면 힘이 더 들 수밖에 없다. 하지만 그 시간을 좋아하는 사람들을 위해서 해야 할 일이었다.

병원에 입사해서 봉사활동을 처음 시작해본 직원들도 많았다. 내성적인 한 직원은 걱정과 기대를 동시에 가지고 보육원을 찾아갔었다고 한다. 그러나 걱정과 달리 활기찬 아이들의 모습에 동화되어 즐거웠다고 말했다. 아이들이 마구 뛰어다니는 바람에 정신이 없었지만 웃고 떠드는 걸 보니 금방 적응이 되었던 것이다.

"기성아, 너는 소원이 뭐야?"
"부모님이랑 사는 거요!"

직원이 한 아이에게 물어보자 이렇게 대답했다고 한다. 그리고 아이의 대답을 듣고 왈칵 눈물이 날 뻔했다고 회상했다. 누군가에게는 평범하고 당연한 일이 그 아이에게는 소원이었다. 자신이 누리고 있는 것들이 그들에게는 특별한 일이라는 걸 알게 되니 미안하고 안타까운 기분이 들었다고 한다.

"항상 남들과 저 자신을 비교하면서 나는 부족하다고 생각해왔어요. 그런데 이번에 봉사활동을 하면서 내가 가진 것이 많고, 남과 나눌 수 있는 게 무궁무진하게 많다는 것을 알게 되었어요. 이제껏 뭐했는지 후회가 될 정도예요."

그 직원은 봉사활동을 통해 자신이 얼마나 부족한 사람인지를 깨달았다고 말해왔다. 또 앞으로도 자주 시간을 내서 남을 위해 살아가는 사람이 되도록 노력하겠다는 각오를 밝혔다. 자원봉사에 참여하면서 많은 것들을 다시 생각하게 되고, 그만큼 성장하게 된다는 건 봉사활동의 큰 장점이다.

보육원을 방문해서 미혼모 자녀들을 돌보기도 했는데, 초롱초롱한 눈망울을 가진 아이들과 함께하고 나면 직원들의 목소리에도 즐거움이 실렸다.

"아이들의 순수한 마음이 절로 느껴져요. 저까지 맑아지는 것 같아요."

나 역시 이 생각에 전적으로 공감한다. 봉사활동을 시작하고 나서부터 매번 다른 사람들을 만나고, 그 사람들로 인해 새로운 활력을 얻기 때문이다. "선물을 사 주셔서 감사하고, 보고 싶었다"고 말하는 아이들의 말 한 마디가 정말 사랑스러웠다. 아이들에게 선물을 줄 때마다 오히려 내가 더 많은 것을 얻는 기분이었다.

팔복동의 보육원에서 있었던 일이다. 준비해간 선물과 간식을 아이들에게 전달하는 시간이었다. 다른 아이들이 선물을 하나씩 받아들고 좋아할 때, 한 남매가 손을 잡고 부러운 듯이 지켜보고 있었다. 아내가 그 모습을 발견하고 직원에게 물었다.

"저 아이들에게 줄 선물은 어디 있나요? 선물이 부족한가요?"

"입소한 지 이틀 정도밖에 안 된 남매입니다. 병원 측과 논의가 안 되는 바람에 두 아이의 선물은 준비를 못했어요. 어떡하죠?"

어쩔 수 없는 상황이었기 때문에 우선 지나갔지만, 병원에 돌아온 뒤에도 아내는 마음이 편치 않았던 모양이었다.

다음 날 운영회의 때 보육원 남매에게 선물을 꼭 전해주었으면 좋겠다는 말을 꺼냈다. 그렇게 다시 보육원을 방문해서 남매에게 선물을 줄 수 있었다. 아이들은 예쁜 미소로 고맙다고 말하고 친구들에게 자랑하겠다며 쏜살같이 사라졌다. 우리 직원들은 그런 아이들 뒷모습을 행복하게 바라보았다고 한다.

가족끼리 친구끼리 혹은 연인끼리 좋은 시간을 보내야 하는 크리스마스에는 직원들이 산타로 변신한다. 우리는 초록우산

어린이재단과 협약을 맺게 된 후부터 4년 동안 산타 원정대를 구성해왔다. 이 산타 원정대는 크리스마스 직전의 토요일에 모여 양육시설이나 방과 후 보호센터, 보육원 등으로 찾아간다.

한번은 크리스마스 이브날이라는 귀한 시간을 내서 행사에 참여해준 젊은 직원에게 고마운 마음을 전한 적이 있었다. 연인과 데이트하는 것도 뒤로 미루고 함께해준 그의 대답은 더욱 감동적이었다.

"1년에 딱 한 번뿐인 특별한 행사인 걸요. 데이트는 아무 때나 해도 됩니다. 염려하지 않으셔도 돼요."

봉사라는 것은 마음 그 자체다. 누군가에게 마음이 전달되면, 그것은 다시 돌아온다. 우리가 준비한 선물들이 무엇이냐가 중요한 게 아니다. 한순간에 지나가 버릴 수 있는 시간을 함께 보내면서, 그 어느 때보다 특별한 추억을 만드는 것이다.

봉사가 곧 인연이 된다

환자들을 돕기 위해 시작한 의료봉사가 인연을 만들어주기도 한다. 전북 익산시 왕궁면의 한센촌 환자들과 함께했을 때의 일도 잊을 수 없는 기억이다.

왕궁면은 나환자 집단 거주지로, 그곳에 간 직원들이 충격을 받을 만큼 열악한 환경이었다. 닭이나 돼지를 키우는 게 그들의 생계수단이었기 때문에 주변에는 축사가 있었는데, 수로 정비 등 관리가 잘 안 되어 냄새도 많이 나고 오염 상태가 심했던 것이다. 한센촌 환자들은 외부인을 많이 꺼리지만, 우리 병원의 가정간호팀과는 유대감을 쌓으며 잘 어울린다. 7년이라는 긴 시간 동안 가정간호 서비스를 받은 환자도 있었다. 우리는 기념일이나 명절이면 서로 선물을 챙겨주었고, 함께 김밥을 만들거나 빵을 구워 나눠 먹기도 하는 등 추억도 많다.

"걱정하지 마세요, 제가 하는 일이 이런 건데 꺼릴 이유가 있나요?"

일그러진 얼굴을 가진 한센촌 환자의 손을 서슴없이 잡아 주던 간호사의 모습이 눈에 선하다. 어떤 한의사 부부는 봉사활동 때 자녀를 둘이나 데려왔었는데, 어린아이들에게는 낯설고 두려운 장소였겠지만 잘 마치고 돌아갔다.

선유도 봉사활동도 병원에서의 인연으로 인해 시작되었다. 때는 2009년, 인구가 600명밖에 되지 않는 작은 섬에 사는 젊은 주민 한 명이 중풍을 맞고 우리 병원에 입원했었다. 병세가 나빠서 치료하기가 매우 힘든 상태였다. 하지만 열심히 치료를 해나가서 거의 정상 생활이 가능하게 되었고 곧 선유도로 돌아갔다.

그 후 환자의 형님이 직원들을 선유도로 초대해서 가족들을 데리고 낚시를 하러 가게 되었다. 선녀가 노니는 섬이라는 뜻에 걸맞게 무척 아름다운 섬이었다. 그러다가 이곳이 진료 시스템이 없는 무의촌이라는 사실을 발견할 수 있었다.

"여러분, 선유도에 진료 시스템이 부족한 것 같은데 의료봉사를 시작하면 어떻겠습니까? 작게라도 보탬이 되면 큰 보람을 느낄 수 있을 것 같습니다."

선유도에 다녀온 뒤, 나는 직원들에게 의료봉사를 하자고 제안했다. 그리고 뜻을 같이 하고자 하는 고마운 사람들이 모이게 되었다. 의사 8명, 간호사 12명, 약사 및 행정직원까지 모두 30명이 모여서 의료봉사를 떠날 수 있었다.

할아버지, 할머니들은 섬에 도착한 우리를 반기기 위해 마중을 나오기도 하셨다. 햇빛과 해풍에 검게 그을린 어르신들의 얼굴은 몹시 밝았고 그들의 미소 때문에 더욱 힘을 낼 수 있었다.

"할머니, 기력도 쇠하고 힘드시죠? 저희가 영양 주사를 놓아 드릴게요. 힘이 좀 나실 겁니다. 오래오래 건강하게 사셔야죠."

우리는 어르신들에게 영양 수액과 침도 놓아 드리고 약도 지어 드렸다. 어르신들이 직원들을 손자처럼 예뻐해 주시는 모습을 보고 마음이 뭉클했다. 자주 찾아뵙고 봉사하고 싶었지만 쉽지 않았기에 더 아쉬운 마음도 들었다.

그래서 어떻게 하면 더 도움을 드릴 수 있을지 고민했다. 주민들이 아플 때마다 의료진이 찾아오기에는 무리가 있었고, 그럴 때 우선으로 필요한 것은 약이었다. 혹여 늦은 시간에 주민들이 갑자기 아프더라도 배를 띄우기 어려울 수 있다. 이러한 상황을 예비하기 위해서 상비약을 배치해두어야 했다. 우리는 주민들에게 필요할 법한 응급 비상약을 이장님께 전달하면서 유의사항도 함께 알렸다.

"저희가 자주 올 수가 없어서 죄송합니다. 대신 상비약을 넉넉하게 드리고 갈게요. 해마다 잊지 않고 찾아뵙겠습니다."

외딴 섬마을에서 병원이 있는 시내까지 가려고 고생하는 어르신들을 떠올리면 도와드리고 싶다는 마음이 더 커지고는 했다. 우리는 최대한 도움을 드리고자 했고, 그렇게 매년 선유도로 의료봉사를 나갔다.

그리고 2012년에는 선유도 어촌계와 협약을 맺게 되었다. 이 협약으로 인해 선유도를 갈 때는 군산시에서 재정지원을 받을 수 있었고, 2015년에는 군산시 추천으로 해양수산부 장관상을 받았다.

우리나라의 외딴섬보다 더 먼 곳으로 갈 때도 있다. 해외로 의료봉사활동을 떠나는 것이다. 2012년에는 전라북도 자원봉사센터와 협약을 맺어 인도네시아 자카르타의 무의촌 지역으로 9박 10일간 의료봉사를 다녀왔다. 의료진들의 컨디션이 안 좋아지고 몇몇이 탈진할 정도로 고된 일정이었다. 지금은 해외 의료봉사단을 꾸리지는 못하지만 선교활동이 있거나 자원봉사단체에서 해외로 나갈 때 직원을 파견해서 돕기도 한다.

어느 환자 가족의 사연

살인적인 더위가 이어지던 어느 날, 한 환자의 병세가 위독해져서 보호자에게 급하게 연락했다. 그런데 연락이 전혀 되지 않아 간호과장을 비롯한 병원 관계자들이 가족을 직접 찾아 나섰다. 그들을 만나고 나서야 왜 그동안 연락이 안 되었는지 알 수 있었다.

환자 아들의 집에 들어서자 태어난 지 얼마 되지 않아 보이는 아기가 더위에 지쳐 몸을 제대로 가누지 못하는 걸 볼 수 있었다. 그리고 세 살 정도 되어 보이는 다른 아이는 더위 때문에 선풍기에 얼굴을 대다시피 하고 있었다. 20대 중반 즈음의 젊은 부부는 멍하니 우리를 맞았다. 이런 상태에서 선뜻 환자가 위독하다는 말을 꺼내기가 어려웠었다.

이들 가족에게는 사연이 있었다. 아들은 집안 사정상 20여 년간 고아원에 있었고 불과 몇 년 전에야 부모님을 만나서 같이 살게 된 것이다. 환자의 부인도 건강이 좋지 않아서 병원에 입원한 상태였고, 아들은 아이들의 양육비에 부모님의 진료비까지 부담하느라 경제적으로 큰 어려움을 겪는 듯했다. 또한 그는 전문 기술을 습득하지 못해 제대로 된 취업을 못 하고 있었다.

그렇게 경제 상황이 안 좋은 집에서 아이들마저 힘들어하는 게 보였다. 일단 아들 부부에게 아버지가 위독하다는 사실을 알리고 함께 병원으로 가기 위해 현관문을 나섰다. 집에 남아 있기로 한 아이들과 지쳐 있는 아이 엄마를 보니 마음이 아팠다.

병원에 도착해서 아들을 중환자실로 안내한 후 몇몇 부서장과 함께 그 가족에 대한 사연을 공유했다. 그러자 그를 도와

줄 방안을 찾자는 의견이 모였다.

"우리 병원에 입원한 분의 아드님이면 우리 가족이나 다름없죠. 어떻게 도우면 좋을까요?"

우리는 우선 초록우산어린이재단과 연계하여 지속적으로 지원이 갈 수 있도록 준비했다. 아이들에게 필요한 기저귀, 분유, 물티슈, 아이들 생활복, 생필품과 간식 등 다양한 선물을 준비해 그들을 다시 방문했다.

아이들이 기저귀 바람으로 나와서 선물을 펼쳐보는 모습을 보니 기분이 좋았다. 어린 부부도 당분간 기저귀나 분유가 떨어질 걱정을 하지 않아도 되겠다면서 고마워했다. 가족들에게 실제 필요한 것을 전달하고 나니 내 마음도 잠시나마 평온해지는 듯했다. 작은 도움일지라도, 한 가족의 삶에 생기를 줄 수 있었다.

나는 '하려고 하면 방법이 보이고, 하지 않으려고 하면 변명이 보인다'는 필리핀 속담을 떠올렸다. 한마음 한뜻으로 생각을 모으면 어려운 상황도 거뜬히 이겨낼 수 있다는 것을 느낀 것이다. 우리의 도움이 필요한 사람들이 분명 있다. 어떤 상황이 닥쳤을 때, 그것을 그냥 두거나 모른 체하지 않는다면 해결 방법도 찾을 수 있는 걸 경험했다. 그 행동 하나하나가 모여서 긍정적인 결과를 불러올 수 있을 것이다.

"저희 어머니 잘 부탁드려요. 우리 어머니가 걸을 때 다리가 벌어지는 데 도움이 될 만한 방법이 없을까요?"

병원에 어머니를 모시고 있는 한 보호자가 물어왔다. 이 보호자는 어머니가 받는 치료에 관심이 매우 많았다. 누가 보더라도, 어머니를 얼마나 생각하고 챙기는지 느낄 수 있을 만한 지극한 효자였다.

급성기 병원에서는 지속적인 간병이 필요하기에 보호자가 항상 옆에 있어야 하지만, 우리 병원은 간병 시스템이 잘 되어 있으므로 보호자가 상주하지 않아도 무방하다. 하지만 이 보호자는 아침 7시에 병원으로 와서 어머니의 아침밥을 챙기고, 저녁 8시쯤 식사 시간이 끝날 무렵에서야 집으로 간다. 또, 한번은 다른 환자에게 선물을 주고 싶어 하는 어머니를 위해 종일 가게를 돌아다녀서 사다 드린 일도 있다고 한다. 주변 사람들은 이 모자를 보면서 칭찬을 아끼지 않았다.

"어쩜 이렇게 한결같을까. 보기만 해도 기분이 좋아지는 모자 사이에요."

환자가 입원한 지 꽤 오랜 시간이 지났음에도, 매일같이 치료실 대기 의자에 앉아 있는 아드님의 모습을 볼 때면 우리도 마음을 다시 먹게 된다. 저렇게 극진한 가족이 있는 것처럼 우리도 언제나 정성을 다해야 한다고 다짐하게 되는 것이다. 환자를 내 가족처럼 여기면서 말이다. 이렇게 오랫동안 어머님을 지켜드리고 보살펴 드리는 모습이 요즘 젊은 사람 같지 않다는 생각도 들었다. 효자를 나이로 나눌 수는 없지만, 이전까지는 어느 정도 나이가 있는 자식들이 부모를 모시는 걸 많이 봐왔기 때문이다. 점점 더 많아지는 효자들의 모습을 발견할 때면 흐뭇한 마음을 감출 수 없어진다.

굽은 소나무가 묏자리 지킨다

'굽은 소나무가 선산을 지킨다'는 말이 있다. 또는 '굽은 소나무가 묏자리 지킨다'는 말도 있다. 반듯하게 잘 자란 소나무는 목재로 쓰이느라 진즉에 잘려나가고, 굽고 못생긴 소나무가 선산과 무덤 자리에 남아있게 되면서 전해져온 말일 것이다. 어릴 적에 이 말을 들었을 때는 관심도 없었는데, 요양병원을 하게 되면서 이 말이 가장 와 닿는다.

병원에 계시는 부모님 자녀들의 직업은 천차만별이다. 판검사에 의사를 포함해 어떤 일을 하는지 모를 자녀들까지 다양하고, 사는 지역 역시 모두 다르다. 같은 부모의 자녀 중에도 대단히 성공한 자녀가 있고 그렇지 못한 자녀도 있다.

그런데 신기하게도 '사' 자 직업이거나 고위직에 있는 자녀는 1년에 한 번이라도 얼굴을 보기 힘든 경우가 많은데, 형편이 변변치 못하다고 하는 자녀들은 그렇지 않다. 바로 이럴 때 '굽은 소나무'가 떠오른다.

보통 사람들이 말하는 사회적으로 성공한 사람, 곧게 자란 소나무 같은 자녀들은 병원에 오는 것을 다소 귀찮아하는 걸 느낄 수 있다. 진료진들과 상담을 하는 동안에도 자리를 불편해하거나 피하려는 눈빛을 보이기도 한다. 그러나 학식과 수입이 부족하다 싶은 자녀들의 효심은 사뭇 다르다. 이들은 보기만 해도 효심이 가득한 것을 마음으로 느낄 수 있다.

병원에 계신 부모님들의 태도도 다르다. 자주 오는 자녀들에게는 그만 오라며 등 떠밀고 큰 소리를 내기도 하지만, 자주 오지 못하는 성공한 자녀들과 있는 부모님을 보면 가족인지 분간이 가지 않을 정도로 서로 말이 없고, 정감이 없다. 그 자녀들이 떠난 후에 “방금 온 건 큰아들이었다, 둘째인데 검사다, 의사다” 하는 말을 듣고 나서야 환자의 자식인 줄 알게 된다.

입원 기간이 길어질수록 굽은 소나무가 만들어낸 평온한 그늘은 제 빛을 내기 시작한다. 그들 사이에 점점 웃음이 피어나고 장난이 오가기도 한다. 부모의 눈가에 미안한 기색이 얼핏 보이기도 하고, 자녀들은 자신들이 어릴 적에 공부는 안 하고 부모 속만 썩였다며 머리를 긁적이기도 하지만, 이들이 긴병에 효심을 보이는 모습은 10년 전이나 지금이나 한결같다.

물론 전부가 그렇다는 말은 아니다. 자신의 변변치 않은 상황에서도 입원한 부모님을 찾아뵙는 가족이 더 많이 내 눈에 띄었을지도 모른다.

언젠가부터 들려오기 시작한 ‘평균 수명 100세 시대’라는 말에 한 가지 독특한 상상을 해본다. 과연 부모님의 인생은, 나의 인생은, 자식의 인생은 누구를 위한 것일까.

나는 어릴 적 효부인 어머니의 모습을 보며 자랐다. 이제는 자녀들의 미래, 그것에 거는 기대감과 자녀가 생각하는 나, 그리고 내가 생각하는 부모로서의 모습이 과연 일치할 것인가에 대해 의문이 생긴다. 우리 어머니가 백 살이 되면 나는 칠순이 되어 있을 테고 내 아이는 불혹이 돼 있을 것이다. 내 아이가 보는 나와 아내의 모습은 내가 어머니를 보면서 생각했던 것과 같은 애틋함이 있을까?

같을 수가 없다. 나와 내 어머니의 관계와 내 아이와 아내의 관계는 또 다르다. 똑같이 뱃속에 아이를 품고 힘들게 낳았는데도 완전하게 다르다.

내 또래의 사람들 또한 자식에게 효도를 기대하지 않고 있다. 이건 어제오늘의 이야기가 아닌, 꽤 오래된 이야기이다. 나와 아내는 부모를 모시게 되는 마지막 세대이고 자식들로부터 버림받는 첫 번째 세대라는 사실을 텔레비전의 명강사들에게서 숱하게 들었다. 어쩌면 그 강의를 미리 듣게 된 게 다행이라고 생각한다. 세상은 이미 그렇게 변하고 있고, 자식에게 서운해할 필요 없다고 미리 마음먹게 되니, 나와 내 아이의 마음이 얼마나 편해지겠는가.

어쩌면 나도 굽은 소나무가 아닐 수 있다. 나 또한 '사'자 직업을 가진 전문가이며 30년에 이르도록 의료인 생활을 해오며 주목을 받기도 하고 많이 바빴으니 말이다.

어머니를 찾아뵙지 못하고 전화라도 드리지 못한 날이면 내가 왜 이런 한심한 아들이 되었을까를 생각해보기도 한다. '나는 바쁘니까 어머니는 내 상황을 이해해 주실 거야' 하면서 스스로 위로하는 게 전부다. 아마도 나를 포함한 다른 자녀들도 자신의 행동을 탓하고 있을 것이 분명하다.

내 여섯 명의 형제만 봐도 그렇다. 내 개인적인 생각으로는 모두 능력도 있고 바쁜 몸이지만, 겉으로 드러나는 스펙이 부족하다고 말하는 동생이 제일 겸손하고 제대로 된 효자 노릇을 하는 것처럼 보인다. 좋은 직장을 그만두고 가족을 위해 희생하는 그들의 모습을 보면, 차마 말할 수 없는 부끄러움이 앞선다.

이제껏 숱하게 목격하고 보아온 것 중 확실한 사실은, 잘났다고 평가받는 저명인사보다 겉으로 내세울 것은 부족할지라도 부모와 가까이 지내는 자녀들이 백배 낫다는 것이다. 그들이야말로 이 시대의 진정한 효자효녀들이다. 부모를 멀리하지 않고, 진실한 효심을 갖는 가족들이 많아지기를 바란다.

epilogue

에필로그

"우리가 하지 못한 효도까지 해주셔서 고맙습니다."

이 말은 환자 가족들에게 들었던 최고의 찬사입니다.

책을 쓰면서 환자나 가족들이 해주었던 많은 말들을 떠올려 보고는 했었는데, 이 말이 가장 기억에 남았다고 해도 과언이 아닙니다. 이 말에는 많은 뜻이 담겨 있는 것 같습니다. 병원에서 생활하고 있는 환자에 대한 사랑, 마음만큼 환자에게 잘해주지 못했다는 아쉬움, 병원에 모셔서라도 더 나은 생활을 선물해드리고픈 마음까지. 누구보다 환자를 아끼고 생각하고 있을 가족들의 심정이 전해집니다. 그리고 이런 가족들의 마음을 요양병원에 있는 사람들이 알아줘야 한다는 생각이 들었습니다. 또 지금보다 더 큰 섬김과 나눔이 필요하다고 말입니다.

우리 요양병원뿐만 아니라, 어르신들을 모시고 있는 모든 요양병원이 환자 가족들에게 이러한 말을 듣게 되었으면 좋겠다는 생각도 해봅니다. 진정으로 환자와 가족들을 위한다면 충분히 가능한 일일 것입니다.

2016년 6월 1일은 효사랑전주요양병원을 개원한 지 10주년이 되는 날입니다. 박진상 한의원을 열었던 시점부터 계산하면 20년이 넘는 시간을 환자와 그 가족들과 함께해온 것입니다. 길기도 긴 시간이고, 책에 다 담을 수 없을 정도의 많은 분을 만나며 여기까지 왔습니다.

요양병원에는 병상이 많아서 환자도 많고 그보다 더 많은 환자의 가족분들이 있습니다. 우리가 만나왔던 그 한 분, 한 분이 다 효자이고 우리의 가족같이 느껴집니다. 환자와 가족들에 대한 더 많은 이야기를 책에 쓰고 싶었는데 쉽지 않은 일이었습니다. 어떤 때는 병원 일보다 쓰는 일이 더 힘들다는 생각이 들 정도였습니다.

우리 병원의 역사에 대해, 시스템에 대해 써 내려 가고 싶은 것도 많았고, 병원 경영진과 직원들이 겪은 일들 그리고 환자와 가족들과 함께했던 이야기들까지… 쓸 것은 넘쳐났으나 하나의 책으로 만들기에는 엄청난 고민과 노력이 필요했습니다.

출판사와 논의해서 출간 일자를 정해놓고, 시간 안에 원고를 마치려고 했으나 일사천리로 진행되지는 않았습니다. 써 놓은 원고를 보면 아쉬움이 생겼고 쑥스러움도 밀려와서 얼굴이 달아오르기도 했습니다. 글을 잘 써서 좋은 책으로 사람들에게 보이고 싶다는 욕심이 있었기 때문입니다. 우리가 펴내려는 책은 요양병원과 환자, 가족들에 대한 이야기였는데 그 이상의 이야기를 담고 싶다는 생각도 했었습니다. 하지만 너무 욕심내지 않고, 진솔한 이야기와 심정을 담아 완성해나갔습니다. 마음이 편해지는 순간이 온 것입니다.

이 책은 요양병원에 가족이 있거나 앞으로 모실 계획이 있는 가족들에게 들려줄 이야기를 담았습니다. 제목을 보면 알겠지만, 우리가 말하고 싶어 했던 가장 중요한 것은 '효자'입니다. 그동안 수많은 효자를 봐왔습니다. 병상에 누워있는 부모님을 모시는 것으로 효자와 효자가 아닌 사람으로 나누지 않으며, 함께하는 시간이 길고 짧은 것이 중요한 게 아닙니다.

효를 행한다는 건 생각보다 복잡하지 않습니다. 곁에서 사랑을 드려도 효도이고, 더 나은 생활을 위해 병원에 모시는 것도 효도입니다. 효자가 될 수 있는 방법에는 여러 가지가 있다는 것도 말하고 싶었습니다.

포기하고 싶었던 때도 있었는데 책을 마칠 수 있도록 도와준 사람들이 많습니다. 특히 글을 다듬어 주고 지도해준 신우성 작가님께 감사드리며, 책을 쓰는 동안 인터뷰에 응해준 직원들 그리고 책에 실릴 이야기를 선사해 준 수많은 사람에게도 고마움을 표하고 싶습니다.

글 쓰는 내내 많은 얼굴이 떠올랐습니다. 직원들의 얼굴과 환자들 그리고 환자 가족들의 얼굴이 어른거렸습니다. 그들과 나눈 대화가 생생하게 기억나는 때도 잦았습니다. 환자들을 위해 병원을 위해 매일같이 노력하는 사랑하는 직원들, 병원이 이만큼 발전할 수 있었던 건 직원들의 공이 큽니다. 그리고 계속 함께 와준 나의 친 가족들에게도 감사의 말을 드립니다.

우리 병원은 사명감을 가지고 일하고 있고 사랑과 관심으로 환자들을 대하고 있습니다. 그리고 그것들을 이어가고자 합니다. 어떻게 해야 환자들이 더 나은 생활을 할 수 있을지 고민을 끝내지 않겠습니다. 환자들과 가족들을 사랑하는 마음을 잊지 않고 계속 발전해가겠습니다.

저자 소개

박진상, 김정연 : 효사랑메디컬그룹의 미래를 설계하는 의료 전문 경영인

박진상 저자는 전라북도 임실군에서 7형제 중 넷째로 태어났다. 어려운 집안 환경에서도 꿋꿋이 공부하여 원광대학교 한의대를 졸업하고, 한의학 박사 학위를 받았다.

1995년 전북 전주시에 박진상 한의원을 개원한 이후 효사랑전주요양병원, 효사랑가족요양병원, 가족사랑요양병원까지 3병원을 열었으며, 2009년는 메디플러스요양원을 열었다.

끊임없는 배움과 열정으로 건강보험공단 의료 최고위과정과 건강보험 심사평가원 최고위과정, AHP(서울대학교병원 의료 최고위과정)등을 수료하였다. 현재 전북 한의사회 보험이사로도 활동 중이며 대한노인요양병원협회 전라북도 지부장을 맡고 있다.

논어 <이인> 편에 나오는 "덕불고필유린(德不孤必有隣)"을 병원 경영철학으로 삼고 계속해서 지역사회와 함께 호흡하며 주민들을 위한 병원으로 거듭나기 위해 노력하고 있다.

김정연 저자는 원광대 한의대에서 남편 박진상을 만나게 되었고, 동대학원에서 박사 학위를 취득하였다. 한방 재활의학과 전문의를 취득하고, 우석대학교 한의대 부교수를 끝으로 사직하여 효사랑가족병원에서 진료와 경영에 전념해왔다. 박진상의 가장 큰 조력자로 현재 효사랑가족병원 병원장으로 재직하고 있다.